Encontre sua Bússola Interior

Barbara Berger

Encontre sua Bússola Interior

O guia para a felicidade e o equilíbrio num mar de informações

Tradução
Claudia Gerpe Duarte
Eduardo Gerpe Duarte

Editora Cultrix
SÃO PAULO

Título do original: *Find and Follow Your Inner Compass.*

1ª edição 2019.

Editor: Adilson Silva Ramachandra
Gerente editorial: Roseli de S. Ferraz
Preparação de originais: Danilo Di Giorgi
Produção editorial: Indiara Faria Kayo
Editoração eletrônica: Mauricio Pareja da Silva
Revisão: Bárbara Parente

Dados Internacionais de Catalogação na Publicação (CIP)
(Câmara Brasileira do Livro, SP, Brasil)

Berger, Barbara
Encontre sua bússola interior: o guia para a felicidade e o equilíbrio num mar de informações / Barbara Berger ; tradução Claudia Gerpe Duarte, Eduardo Gerpe Duarte. — São Paulo : Cultrix, 2019.

Título original: Find and follow your inner compass
ISBN 978-85-316-1510-8
1. Autorrealização (Psicologia) 2. Desenvolvimento pessoal I. Título.

19-25528 CDD-158.1

Índices para catálogo sistemático:
1. Autorrealização : Psicologia aplicada 158.1
Cibele Maria Dias - Bibliotecária - CRB-8/9427

Direitos de tradução para a língua portuguesa adquiridos com exclusividade pela EDITORA PENSAMENTO-CULTRIX LTDA., que se reserva a propriedade literária desta tradução.
Rua Dr. Mário Vicente, 368 — 04270-000 — São Paulo, SP
Fone: (11) 2066-9000
http://www.editoracultrix.com.br
E-mail: atendimento@editoracultrix.com.br
Foi feito o depósito legal.

Sumário

Prefácio.. 9

PARTE I: Você tem uma Bússola Interior...................... 14

Você tem uma Bússola Interior 17
Como entender nossas emoções ....
A Grande Inteligência Universal 22
A perda do contato com a Bússola Interior 26
Provavelmente lhe ensinaram que seus sentimentos não são importantes.. 30
Exercício da Bússola Interior 31
Verifique regularmente sua Bússola Interior 37
Você já está seguindo sua Bússola Interior de muitas maneiras! 38
Você está com medo de se conscientizar sobre como se sente? 39
A mudança começa a acontecer de uma maneira natural e automática... 40
A Bússola Interior não é mental....................................... 41

A Bússola Interior e a Grande Inteligência Universal 43
Escutar a Bússola Interior é ser egoísta? 45
A Escala Emocional e como manter sua energia elevada 47
Você é a única pessoa que tem acesso à sua Bússola Interior 51
Não existe um padrão universal – não existe um tamanho único 53
Estamos todos em uma curva de aprendizado 55
Sua Bússola Interior nunca diz "deveria" 57
E a "intuição" ou "a voz interior"? 59
O que a Bússola Interior diz? 60
Devo então fazer sempre o que sinto ser bom? 61
A aprovação nos faz sentir melhor do que a desaprovação 63
O que acontece quando você não escuta sua Bússola Interior 64
A emoção negativa é sua amiga 67
O yoga, a atenção plena (*mindfulness*), a meditação, o pensamento positivo e a Bússola Interior 68
Quando surgiu o primeiro "não"? 69
A Bússola Interior e seus pensamentos a respeito de si mesmo 71
Atividades da vida: é "Sobrevivência", sua "Paixão" ou "Coisas Intermediárias"? 74
O que a Bússola Interior diz? 77

PARTE II: Como Lidar com o Medo da Desaprovação e Outros Desafios **80**

O medo da desaprovação e outros desafios 83
Se eu seguir minha Bússola Interior, farei outra pessoa infeliz 84
A felicidade é um assunto interno 86
Pessoas diferentes têm reações diferentes diante da mesma situação 88
Mas eu sei que meu parceiro vai ficar aborrecido! 93
Pegue seu poder de volta! 94
As pessoas que estão fora de sintonia querem que você as ajuste 96
Padrões arbitrários de comportamento 98
E se a minha família não gostar? 100
Seus direitos assertivos 102
A "técnica do sanduíche" 104
Peça tempo para pensar 108
Trabalhe a assertividade 110
Quando as pessoas continuam a achar que você está "errado" 111
Cuide da sua própria vida 112
A Bússola Interior e as crianças 115
A sedução do *glamour*, da fama e do sucesso 119
Autorreferência ou referência extrínseca? 121
O poder de duas ou mais pessoas em sintonia 123
O que a Bússola Interior diz? 125
O ímpeto e como aprender a usar a Bússola Interior 126

Treinamento Mental 129
A chave é a conscientização.. 130
O processo não tem fim... 132
O que a Bússola Interior diz? 133

EPÍLOGO: A Bússola Interior e a evolução humana ... 135

Democracia – a forma mais elevada de governo............ 137
Consenso ou mentalidade de rebanho?.......................... 139
Todos queremos ser livres! 141
A Bússola Interior e a evolução humana 143
O que a Bússola Interior disse para Barbara Berger? 145

Uma última palavra: tudo e todos respondem ao amor 147

Agradecimentos 149

Prefácio

Graças aos grandes avanços tecnológicos e às maravilhas da mídia social, nunca antes na história nós, seres humanos, estivemos tão conectados uns aos outros. Nunca antes tivemos um constante acesso *on-line* ao que todas as outras pessoas estão pensando, dizendo, sentindo e fazendo.

Desse modo, numa época em que somos bombardeados desde quando acordamos até quando vamos dormir com informações vindas de todos os lados a respeito do que "devemos" e "não devemos" fazer para viver uma vida feliz, como podemos navegar neste gigantesco mar de informações e saber o que seria melhor fazer em qualquer situação? Em outras palavras, existe uma maneira confiável de tomar decisões e navegar pela vida? Existe uma maneira que leva em consideração quem cada pessoa é, e quais são suas necessidades e seus desejos?

E a resposta para essa pergunta é sim, existe!

Isso porque cada pessoa tem uma Bússola Interior! Possui seu próprio sistema de orientação interior exclusivo e pessoal — que funciona o tempo todo e que é a conexão direta de cada indivíduo com a Grande Inteligência Universal que criou cada um de nós e toda a vida.

E é disso que trata este livro. Ele consiste em encontrar, entender e usar seu sistema de orientação interior — que eu chamo de "Bússola Interior" — para que possa viver uma vida mais feliz, gratificante, estimulante e maravilhosa.

Este livro é baseado no entendimento de que você não apenas tem uma Bússola Interior, mas que ela está, em todos os momentos, lhe fornecendo informações precisas e confiáveis a respeito de qual é o melhor caminho a seguir em cada situação da vida. E como a Bússola Interior faz isso? Ela faz isso por meio das emoções. É por isso que neste livro eu investigo e explico o verdadeiro significado das nossas emoções e descrevo, em detalhes, como e por que elas são indicadores importantes e significativos do fato de estarmos ou não em sintonia com quem somos e com a Grande Inteligência Universal que nos criou.

Sendo assim, espero que este livro, à medida que for lendo, avaliando, digerindo e absorvendo as informações aqui apresentadas, ajude-o a seguir sua Bússola Interior todos os dias. E espero ainda que isso o auxilie a viver plenamente em sintonia com quem você é e com o que é mais adequado para você (e não para qualquer outra pessoa). Quando isso acontecer, haverá mais fluidez, despreocupação, alegria, amor, paixão e entusiasmo na sua vida — e como resultado você sentirá a alegria de ser mais útil à sua família, amigos, colegas e ao mundo em geral.

Para que seja mais fácil assimilar e absorver as informações aqui apresentadas a respeito da Bússola Interior, dividi o livro em duas partes.

Na primeira parte, abordo os conceitos básicos: O que é a Bússola Interior e como ela funciona? Como interpretar os sinais que a Bússola Interior está nos enviando a cada momento? Qual é o verdadeiro significado das nossas emoções? Como usar a Bússola Interior na prática — na rotina diária, no trabalho, nos nossos relacionamentos?

Na segunda parte, trato dos desafios que surgem, como: O que sabota nossa capacidade de escutar e seguir nossa Bússola Interior? Seguir a Bússola Interior é ser egoísta? E quanto às outras pessoas na nossa vida? Como podemos lidar de maneira construtiva com o medo da desaprovação dos outros, sobretudo quando a Bússola Interior nos aponta uma direção que acreditamos que irá desagradá-los ou com a qual não irão concordar? Como podemos melhorar nossa capacidade de escutar e seguir nossa Bússola Interior?

Ao longo do livro, o leitor também encontrará exemplos concretos de como usar a Bússola Interior na rotina diária.

As informações apresentadas neste livro baseiam-se em muitos anos de sessões particulares de *coaching* pessoal nas quais pude ver as incríveis transformações que ocorrem na vida das pessoas quando começam a entender e aplicar os princípios contidos neste livro. É por isso que eu sei que seguir a Bússola Interior pode dar certo — porque eu a vi funcionar para muitas pessoas, independentemente de idade, gênero, situação financeira, estado de saúde, relacionamentos ou quaisquer outras circunstâncias de vida. Não importa quem você é ou onde você está, a Bússola Interior pode funcionar e está funcionando para você!

Que este livro possa ajudá-lo a viver a vida plena, rica e estimulante que você nasceu para viver!

Boa leitura!

Barbara Berger
Copenhague
Dezembro de 2015

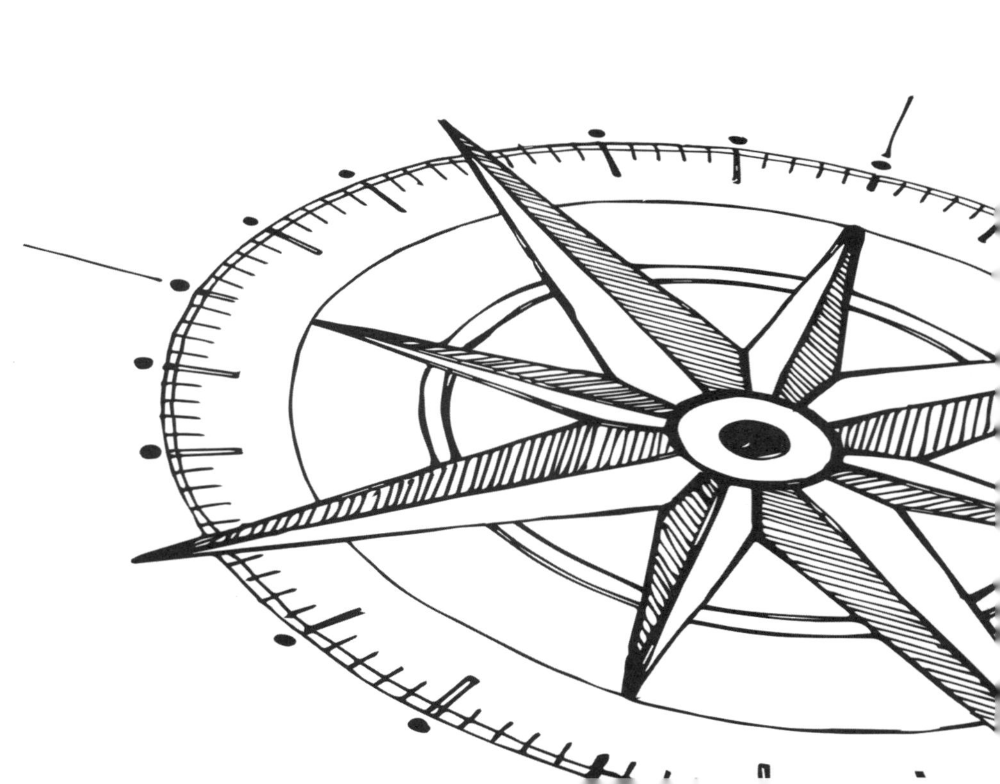

PARTE
I

Você Tem
uma
Bússola Interior

Você tem uma Bússola Interior

Você tem uma Bússola Interior. Uma Bússola Interior incrivelmente precisa e confiável, que funciona o tempo todo. Uma Bússola Interior que lhe oferece orientação e informações a respeito do que é melhor para você, mostrando se está ou não em sintonia com quem é de fato.

E como a Bússola Interior faz isso? Por intermédio das suas emoções. É por meio delas que a Bússola Interior lhe informa como você está se saindo. Quando se sente bem, quando tem uma sensação de tranquilidade e fluidez, entusiasmo e alegria na vida, essas emoções positivas são uma indicação de que está em sintonia com quem você realmente é. Quando não se sente tão bem, quando tem uma sensação de mal-estar ou frustração, ou se sente oprimido, ansioso ou angustiado, essas emoções negativas são uma indicação de que você está fora de sintonia e não está fazendo o que é melhor para você.

A Bússola Interior é, portanto, algo muito simples. É um mecanismo que o conecta com a Grande Inteligência Universal — a Magnífica Inteligência que criou este Universo incrível e toda a vida que nele existe, inclusive você. A fim de apresentar uma indicação clara de que você está ou não em sintonia com o que a Magnífica Inteligência sabe ser a verdade a seu respeito, a Bússola Interior funciona como uma bússola comum. Quando você está em sintonia — quando está vivendo em harmonia com quem você é de fato e com o que é melhor para você, — essa Bússola Interior aponta diretamente para o norte e você tem uma sensação de bem-estar, tranquilidade e fluidez na sua vida. Em outras palavras, você se sente bem. E quando não está em sintonia com quem você é (com a posição norte/sul), isso significa que você se desviou do rumo e tem, como resultado, uma sensação de mal-estar e inquietação. Em outras palavras, você não se sente tão bem.

É simples assim.

No entanto, infelizmente, a maioria das pessoas perdeu o contato com sua Bússola Interior, que é seu sistema interior natural de orientação. Como resultado, a maioria de nós não compreende que é nisso que consiste nossas emoções. Não entendemos ou não compreendemos que nossas emoções são na verdade indicadores, os quais estão o tempo todo nos dizendo se estamos ou não em sintonia com quem somos de fato e com o que é melhor para nós, em qualquer momento ou situação.

Desse modo, o xis da questão é que suas emoções são importantes! A maneira como você se sente é importante!

Todos sabem quando alguma coisa parece boa ou ruim, todos sabem a diferença entre sentir-se zangado e sentir amor, entre sentir-se deprimido e sentir-se feliz [...]. Mas o que a maioria de nós não entende ou não compreende, é que essas emoções são importantes indicadores porque elas estão nos fornecendo informações fundamentais a respeito do que está acontecendo na nossa vida. Sendo assim, quando você para e observa o que está acontecendo dentro de você, provavelmente percebe que está vivenciando um vasto leque de emoções, que variam dependendo da situação em que você se encontra. Essa situação pode ser o que está acontecendo na sua família ou o que está acontecendo enquanto você interage com seu parceiro ou parceira, ou com seus colegas no trabalho.

No entanto, quer estejamos ou não conscientes desse mecanismo, nossas emoções estão presentes! E estão presentes o tempo todo. E isso significa que, quer saibamos disso, quer não, cada um de nós tem uma Bússola Interior que está nos fornecendo informações por meio de nossas emoções. Desse modo, quando começar a observar, perceberá que essa Bússola Interior está sempre lhe dizendo — em cada momento — como você se sente a respeito do que está acontecendo na sua vida. Suas emoções estão lhe oferecendo essas valiosas informações o tempo todo. E esse sistema de orientação interior está sempre ligado, sempre disponível, sempre lhe fornecendo a cada segundo, a cada minuto, informações e orientações que você pode usar para fazer escolhas sensatas para si mesmo em todas as situações.

Entretanto, infelizmente, a maioria das pessoas não tem conhecimento da Bússola Interior e não sabe que nossas emoções são a chave para que possamos entender e usar esse sistema de orientação interior.

Como entender nossas emoções

Uma vez que nossas emoções são a chave para que possamos entender como nossa Bússola Interior funciona, vamos dar uma olhada nelas. Nós, seres humanos, temos muitas palavras para descrever os diferentes estados ou emoções que vivenciamos, mas podemos classificar todas as nossas emoções em duas categorias ou estados emocionais básicos — *bem-estar* e *mal-estar*. Todas as nossas emoções se encaixam nestas duas categorias:

Bem-estar	**Mal-Estar**
Amor	Medo
Felicidade	Depressão
Alegria	Ansiedade
Tranquilidade	Desassossego
Empolgação	Estresse
Paixão	Raiva
Fluidez	Resistência
Entusiasmo	Irritação
Satisfação	Mau humor
Paz	Agitação
Divertimento	Tédio
Harmonia	Desarmonia
Etc.	Etc.
Em outras palavras, emoções positivas	Em outras palavras, emoções negativas

As emoções positivas nos conferem um sentimento de tranquilidade e fluidez, enquanto as negativas nos conferem um sentimento de desassossego, mal-estar e resistência.

E é isso que a Bússola Interior está lhe dizendo. Essa é a informação que ela está lhe dando o tempo todo. Por meio das emoções, a Bússola Interior está lhe fornecendo uma leitura direta e precisa do que você está sentindo a cada momento. E é por meio desses sentimentos que a Bússola Interior diz se você está ou não em harmonia, a partir da perspectiva de quem você é e do que está acontecendo neste momento. Desse modo, tudo o que você precisa observar, ou perguntar a si mesmo, é o seguinte: O que estou sentindo? Como esta situação me faz sentir? Como esta pessoa me faz sentir? Como este pensamento me faz sentir? Estou tendo uma sensação de bem-estar/tranquilidade/fluidez ou uma sensação de mal-estar/desassossego/resistência a respeito dessa pessoa, situação, circunstância — ou até mesmo a respeito de mim mesmo?

Quanto a isso, é importante compreender que sua Bússola Interior não está lhe dizendo se as coisas estão "certas" ou "erradas", nem se estão "corretas" ou "incorretas". Ela só está lhe dizendo como na verdade você "se sente", sob a ótica do que está acontecendo em relação a quem você é de fato — e está falando com você sobre o que está acontecendo neste exato momento.

Desse modo, quando o que está pensando e o que está fazendo estão em sintonia com quem você é e com o que é melhor para você, isso é sinal de que está em harmonia com seu eu mais verdadeiro. Isso se traduz em um sentimento de alegria, fluidez, tranquilidade e felicidade porque está vivendo em sintonia com sua verdadeira natureza, sua essência mais profunda, ou o que se poderia chamar de essência da alma. E então, está aberta a conexão entre você e a Grande Inteligência Universal, que está orquestrando a dança da vida. Assim, você sente que a vida é boa — e ela está de fato boa —, você está no fluxo e as coisas apenas parecem funcionar melhor na sua vida.

Eu sei que isso parece bem simples — e é.

A verdade é que nos sentimos melhor quando estamos vivendo em sintonia com quem somos na realidade e deixando que o fluxo da vida circule através de nós — completa e livremente — para que cada um de nós possa percorrer seu trajeto exclusivo do destino.

Como eu sei que todas as pessoas têm uma Bússola Interior?

A Grande Inteligência Universal

Para responder a essa pergunta, vamos começar dando uma olhada à nossa volta. Dando uma olhada no mundo, na realidade. Você notou que o sol nasceu esta manhã? Bem, sim, diz você, ele nasceu. O sol nasceu esta manhã. E eu digo, então posso perguntar: você fez o sol nascer esta manhã? Você fez isso? Você fez o sol nascer? Isso estava na sua lista "de coisas a fazer" ou o sol apenas nasceu? E você responde que não, que não fez o sol nascer esta manhã. Ele nasceu sem a sua ajuda. E então eu pergunto: e os planetas que estão orbitando no espaço? Você está fazendo isso acontecer? Não, você diz novamente. E as árvores, a grama e as plantas que estão crescendo pelo mundo, eu continuo. Você está fazendo tudo isso acontecer? Uma vez mais você responde que não. E os mares, os oceanos, os peixes e todos os outros animais? Você está fazendo algum deles existir? Mais uma vez você responde que não. Mas alguma coisa está acontecendo, todos podemos ver isso. Todos podemos ver que o sol nasce todas as manhãs, que os planetas giram em torno do sol em perfeita harmonia todos os dias, que as plantas estão nascendo e crescendo e que os animais existem — e que tudo isso está acontecendo sem a nossa intervenção. Não estamos fazendo nada. Nem você nem eu. Mas mesmo assim tudo isso está acontecendo.

Desse modo, a partir disso, podemos concluir que existe alguma Força ou Inteligência Maior que está criando, manifestando e organizando essa incrível teia da vida, essa incrível dança que é o nosso Cosmos. Existe uma Inteligência Maior ou Força que está criando e orquestrando tudo isso — e é a isso que estou me referindo quando digo Grande Inteligência Universal. Estou me referindo a essa Força, Poder ou Inteligência criativa superior (ou qualquer outro nome que você queira dar a ela) que está organizando e coordenando o desabrochar da vida à nossa volta.

Alguma coisa está presente e alguma coisa está fazendo tudo isso. É óbvio. Você pode vê-la se expandindo onde quer que olhe.

Também podemos fazer as mesmas perguntas quando olhamos para nós mesmos. Vamos então tentar isso.

Se você der uma olhada em si mesmo, eu posso lhe perguntar: você criou o seu próprio corpo? Fez com que aparecesse nesse corpo? E uma vez mais, a resposta é não. Você não fez você acontecer, mas, novamente, aqui está você! Você está aqui nesse corpo, bem aqui, neste momento. Então alguma coisa maior, uma inteligência mais vasta, que é muito mais inteligente do que você ou eu, organizou, animou e manifestou VOCÊ!

A outra coisa a respeito de você (e de mim) é que agora que estamos aqui, mesmo assim não estamos nos "fazendo". Com isso, eu quero dizer que você não está fazendo você "ser", você está apenas acontecendo! Pense nisso. Você fica acordado a noite inteira dizendo ao seu coração para que bata? Não, não faz isso. No entanto, seu coração bate a noite inteira sozinho, sem que você diga a ele o que fazer, sem que o observe ou faça qualquer coisa. Ele apenas faz isso. Seu coração bate a noite inteira, sem que seja preciso dizer a ele o que fazer, observá-lo ou qualquer outra coisa. E o mesmo é verdade quanto ao seu pulmão, que continua a inalar e exalar o ar ininterruptamente. E o mesmo se aplica à sua digestão, que continua a digerir o que você come, e a todos os outros milhões e trilhões de células e processos no seu corpo, todos fazendo o que têm que fazer sozinhos — sem qualquer pensamento, orientação ou interferência da sua parte ou da minha. Uma vez mais, portanto, há uma inteligência maior em ação aqui. Tem que haver uma Força ou Inteligência que manifestou você, eu e todas as outras pessoas, e que está agora animando e coordenando esse incrível corpo físico que todos nós temos.

Pense na inteligência do nosso corpo!

Se você, por exemplo, cortar o dedo com uma faca enquanto estiver na cozinha preparando o almoço e seu dedo começar a sangrar [...] o que você faz? Provavelmente lava o dedo e depois faz um curativo nele. E uma vez que seu dedo esteja devidamente limpo e protegido, é bem provável que se esqueça dele. Você não pensará mais nele. Alguns dias depois você retira o curativo e, como já esperava, o corte cicatrizou sozinho. E tudo aconteceu naturalmente.

Você não ficou sentado olhando para o seu dedo, o dia inteiro e a noite inteira, dizendo para as células do seu corpo que se regenerassem. As células do seu corpo sabiam exatamente o que fazer — sem qualquer orientação ou interferência sua. Então quem ou o que estava fazendo isso? Uma vez mais, existe, sem dúvida, uma Inteligência Maior agindo aqui.

Portanto, é isso que quero dizer com Grande Inteligência Universal. Estou me referindo à Magnífica Inteligência ou poder organizador que criou e manifestou toda a criação, inclusive você e eu!

E agora chegamos ao que eu chamo de Bússola Interior. Como essa Grande Inteligência Universal criou você e o está animando, ela precisa estar ***em você.*** E é isso que quero dizer com a Bússola Interior. A Bússola Interior é sua conexão com a Grande Inteligência Universal e sua conscientização a respeito dela.

A Bússola Interior é a Grande Inteligência Universal se manifestando em você! E é por isso que é tão importante entender e saber usá-la — porque ela é sua ligação direta com a

Grande Inteligência Universal, que é aquela Energia Infinita Onipotente que criou e está animando toda a vida — todo este Universo Infinito incrível e maravilhoso —, inclusive você. E essa Força Vital, que é Inteligência Infinita e Energia Infinita Onipotente e Onisciente, também é Vitalidade Infinita. E quando vivenciamos essa Vitalidade Infinita, nós a sentimos como alegria, amor, paixão, entusiasmo e reconhecimento.

Então, quando você se sente assim — quando se sente bem, quando tem uma sensação de bem-estar — você sabe que está em harmonia com o grande fluxo da Vida que está manifestando através de você. Em outras palavras, está em harmonia com a Grande Inteligência Universal que está fluindo através de você. Quando isso acontece, você se sente incrível, bem e feliz! E é por isso que suas emoções importam e são significativas. É porque elas estão lhe dizendo onde está em relação ao verdadeiro você — em relação ao verdadeiro você que está vivendo em harmonia com o grande fluxo da vida. Desse modo, quanto melhor você se sentir, melhor as coisas parecem, mais em harmonia com o grande fluxo da vida e com a Grande Inteligência Universal você está! Na verdade, as emoções positivas são a maneira pela qual a Grande Inteligência Universal está lhe dizendo — em alto e bom som — *Você está no caminho certo [...] você está no caminho certo [...] vá em frente! VÁ EM FRENTE!*

A perda do contato com a Bússola Interior

A surpreendente verdade, contudo, é que muitos de nós perdemos o contato com nossa Bússola Interior — com a nossa conexão com essa Grande Inteligência Universal — e, portanto, perdemos o contato com nosso sistema de orientação interior. E por causa disso, não estamos verdadeiramente em contato com a maneira como nos sentimos em relação às coisas, portanto temos dificuldade para lidar com as situações da nossa vida, que então se torna um desafio. Eu sei que isso parece estranho, contudo é verdade.

Como isso pode acontecer?

Existem duas razões principais pelas quais muitas pessoas não estão em contato com sua Bússola Interior. A primeira é o fato de ignorarmos ou não termos consciência dela! Não sabemos que temos uma Bússola Interior porque ninguém nunca nos falou a respeito disso. Sendo assim, nunca tomamos conhecimento de que temos uma Bússola Interior. Nossos pais não nos ensinaram nada sobre a Bússola Interior porque eles tampouco sabiam da sua existência. E eles não sabiam da sua existência porque os pais deles também nada lhes disseram a respeito dela! E assim isso se repete, recuando através das gerações. Poucas pessoas já estiveram algum dia conscientes desse mecanismo, e por isso, antes as informações a respeito dele não estavam disponíveis. E por causa disso, não tínhamos conhecimento da Bússola Interior e tampouco falamos com os nossos filhos a respeito dela.

Apenas pense a respeito disso. Você consegue se lembrar de alguém que tenha lhe dito na sua infância que você tem uma Bússola Interior — um sistema de orientação interior — com a qual pode contar e que está sempre lhe dizendo o que é melhor para você? Alguém já lhe falou a respeito disso? Alguém já lhe contou que é nisso que consistiam suas emoções? Que suas emoções eram importantes e que eram sinais? Que suas emoções eram a maneira pela qual sua Bússola Interior estava transmitindo essa informação para você? Você consegue se lembrar de alguém lhe dizendo alguma coisa desse tipo? Seus pais já lhe explicaram que só você pode saber o que é melhor para você porque é o único que está dentro de si mesmo e que tem acesso à sua Bússola Interior? Eles lhe disseram que você é a única pessoa em todo o vasto Universo que tem contato com seu sistema de orientação interior? Seus professores lhe disseram isso? Ou seus amigos? Alguma pessoa de fato já lhe falou a respeito desse mecanismo?

Provavelmente não.

E posso afirmar isso com um certo grau de certeza, porque a vida inteira me dediquei ao *coaching* e ao aconselhamento, e até agora nunca encontrei alguém que pudesse responder sim com sinceridade a essa pergunta. Quem poderia afirmar que sabe que tem um sistema de orientação interior porque seus pais lhe ensinaram isso na infância? Portanto, a realidade é que a maioria de nós nem mesmo sabe que essa Bússola Interior existe. Simplesmente não sabemos que temos um sistema de orientação interior que está sempre conosco e sempre funcionando.

E existe então a segunda razão.

Além do fato de não sabermos que temos uma Bússola Interior capaz de nos orientar e de nos guiar em cada aspecto da nossa vida, quase todos nós fomos treinados (programados e doutrinados) desde a mais tenra infância a tomar a maioria das nossas decisões, dizer e fazer as coisas com o objetivo de agradar a outras pessoas. Fomos treinados assim porque aprendemos desde cedo que, se quiséssemos nos dar bem, convinha agradar aos adultos à nossa volta. Esse foi o modo como fomos criados e programados. As mensagens que recebemos no início da infância em geral eram muito claras e nos diziam, em palavras que não deixavam dúvida: *é importante agradar às outras pessoas.* É importante que as pessoas o aprovem e concordem com o que você está dizendo e fazendo. Desse modo, aprendemos desde cedo que as coisas seriam bem melhor para nós se agradássemos às pessoas à nossa volta. Recebemos dos nossos pais, de um milhão de maneiras diferentes, a mensagem: "As coisas darão certo para você se fizer o que eu quero que você faça". Ou: "Você terá o meu amor se fizer o que eu quero".

Sendo assim, desde a mais tenra idade, fomos treinados a prestar atenção e a observar, o tempo todo, aquilo que acreditávamos (ou aprendemos a acreditar) que as pessoas estavam e estão esperando de nós para que possamos fazê-las felizes. Recebemos, desde cedo, a mensagem de que é nossa função fazer as outras pessoas felizes. Portanto, fomos treinados a estender nossas antenas, a focalizar as outras pessoas em vez de voltar-nos para dentro e focalizar as informações que procedem do nosso sistema de orientação interior, que está dentro de nós.

Provavelmente lhe ensinaram que seus sentimentos não são importantes

Aprendemos, desde cedo, que nossos sentimentos não são importantes, pois ninguém compreendia o verdadeiro significado das emoções. Em outras palavras, era aceitável que nos sentíssemos mal, desde que agradássemos aos outros. Sendo assim, aprendemos a não prestar muita atenção ao que estava acontecendo dentro de nós e, em vez disso, a observar, ficar atentos e corresponder ao que as pessoas à nossa volta esperavam de nós.

Quero ser bem clara aqui: não estou querendo dizer que devemos deixar que as crianças se tornem monstrinhos mimados e mal-educados, e nem em ter uma família desprovida de limites saudáveis, regras internas ou diretrizes claras sobre o comportamento respeitoso entre as pessoas. (Para mais detalhes sobre este assunto, consulte A Bússola Interior e as crianças, na página 115). Estou me referindo aos nossos equívocos a respeito dessa coisa chamada vida, que inclui o fato de que as pessoas são diferentes, têm ideias e projetos distintos (até mesmo na mesma família) e que cada pessoa tem sua própria ligação direta com a Grande Inteligência Universal, que nos criou e que fornece a cada um de nós informações a respeito de quem somos e do que está em harmonia conosco e com o nosso caminho individual na vida.

Desse modo, mesmo que a maioria de nós afirme que sabe o que é bom e o que é mau, não é esta a questão aqui. A questão é que nossas emoções são indicadores que estão nos fornecendo informações importantes — na verdade fundamentais

— a respeito da nossa sintonização com quem somos de fato. É muito importante compreender que os bons sentimentos são um sinal que vem de dentro, um sinal da sua Bússola Interior de que você está vivendo em sintonia com quem você realmente é. E que as emoções negativas são um sinal de que você está fora de sintonia ou fora do rumo [...]. Portanto, é importante compreender que suas emoções são uma fonte confiável de informação e orientação, independentemente do que as outras pessoas digam.

Desse modo, você pode ver [...] que tudo tem estado um tanto invertido para a maioria de nós, desde o início.

E, como consequência disso, quase nenhum de nós entende o que nossas emoções significam, e perdemos o contato com nossa Bússola Interior.

Desse modo, a grande pergunta é: como entrar novamente em contato com a nossa Bússola Interior?

Para responder a esta pergunta, desenvolvi o exercício a seguir para ajudá-lo a encontrar e a entender sua Bússola Interior:

Exercício da Bússola Interior

O exercício da Bússola Interior compreende encontrar e usar sua Bússola Interior todos os dias e em todas as situações. Eis o que você deve fazer:

Em primeiro lugar, comece a pensar e a considerar que você tem uma Bússola Interior. Leia várias vezes as primeiras páginas deste livro até ficar de fato por dentro do assunto. Em seguida, tome a decisão de que vai ficar atento ao longo do dia de que você tem uma Bússola Interior. Que vai recordar, e lembrar a si mesmo, que tem uma Bússola Interior. A seguir, comece a observar como você realmente se sente em vários momentos no decorrer do dia.

Repare quando você sentir que as coisas estão boas e quando sentir que elas não estão.

Observe quando você se sente bem e quando se sente mal.

E depois — novamente, no decorrer do dia — quando notar que está pensando mais naquilo que os outros possam estar pensando ou sentindo a respeito de você — ou de uma situação, acontecimento ou outra pessoa — do que a respeito do que você mesmo está pensando, tire imediatamente o seu foco das outras pessoas e traga-o de volta para si mesmo. Em outras palavras, quando se pegar preocupado com o que seu chefe, seu parceiro ou parceira ou a sua mãe possam estar sentindo, simplesmente afaste esse pensamento.

Abandone o pensamento sobre o que qualquer outra pessoa possa estar pensando ou sentindo a respeito do que está acontecendo. Largue-o como se tivesse uma batata muito quente na mão e ela estivesse queimando você! Ai! Isso dói, portanto solte! Deixe a batata quente cair! Pare de tentar descobrir o que as outras pessoas possam estar ou não pensando, sentindo ou desejando. Simplesmente pare de pensar nisso. Pare de tentar descobrir o que qualquer outra pessoa possa estar pensando e sentindo a respeito do que está acontecendo e volte a atenção para si mesmo.

Então respire fundo, volte-se para dentro de si e *observe o que você está sentindo*. Em outras palavras, preste atenção àquilo que a sua Bússola Interior está lhe dizendo a respeito da situação atual, da pessoa com quem está se confrontando ou do que quer que esteja acontecendo diante de você nesse momento.

Em outras palavras, reserve um tempo para si mesmo e observe como está se sentindo nesse momento. Como você se sente em relação à situação que está se desenrolando agora? Como você se sente em relação à pessoa que está diante de você? Como você se sente em relação ao que está acontecendo agora?

É isso que a Bússola Interior está lhe dizendo. E é nisso que consiste o exercício da Bússola Interior.

Diz respeito a observar.

Diz respeito a observar com sinceridade.

Diz respeito à consciência do momento presente.

Diz respeito ao agora.

Diz respeito a estar atento ao que está acontecendo dentro de você, neste exato momento.

Diz respeito a ficar atento à sua conexão exclusiva com a Grande Inteligência Universal.

Diz respeito a ficar atento ao fato de que você tem uma Bússola Interior que está sempre lhe fornecendo informações diretas, em tempo real, a respeito de como você sente que as coisas são e do que é melhor para você.

Diz respeito a entender o que suas emoções significam e saber que elas importam.

É nisso que consiste a Bússola Interior e é isso o que ela está lhe dizendo. Ela está lhe dizendo como você sente as coisas neste momento. Portanto, pergunte a si mesmo: Como estou me sentindo em relação a isto neste momento? Eu me sinto bem ou não com essa situação, acontecimento ou pessoa? Isso me transmite uma sensação de bem-estar ou de mal-estar? Isso é tudo o que você precisa observar.

Apenas observe.

Observe como você se sente de verdade.

E depois continue a fazer isso. Torne uma prática diária observar, todos os dias, com a maior frequência possível ao longo do dia, como você está se sentindo em relação às coisas. Em outras palavras, observe o que sua Bússola Interior está lhe dizendo. Essa situação ou pessoa está lhe passando uma sensação de bem-estar ou de mal-estar? Como ela faz você se sentir? Ela faz você se sentir bem ou não? Isso é tudo o que você precisa fazer.

Apenas observe sua Bússola Interior e preste atenção ao que ela está lhe dizendo.

Isso é tudo.

Parece simples, não é mesmo?

Mas, por mais simples que possa parecer, não é algo fácil para a maioria das pessoas, sobretudo no início. E isso ocorre porque fomos treinados (e nos acostumamos) a focalizar as outras pessoas e a tentar agradá-las. Quase todos aprendemos desde cedo a tentar entrar em sintonia com o que as outras pessoas desejam e precisam. E como eu disse antes, perdemos por causa disso o contato com nós mesmos. Perdemos o contato com nossa Bússola Interior e não sabemos mais como entrar em sintonia com ela. Portanto, quando começarmos a fazer o exercício, ele parecerá bastante estranho, porque estamos muito acostumados a afastar a atenção de nós mesmos. Parecerá esquisito parar de focalizar as outras pessoas e voltar a prestar atenção em nós mesmos.

Mas é nisso que consiste usar sua Bússola Interior: afastar a atenção das outras pessoas e concentrar-se em si mesmo.

Assim, apenas continue a lembrar a si mesmo no que consiste tudo isso. Retorne então, repetidamente, à Bússola Interior. Fique atento quando perceber que você está focalizando de novo outras pessoas e se preocupando com o que elas possam estar pensando, dizendo ou fazendo — em vez de estar prestando atenção ao seu sistema de orientação interior. E não seja duro consigo mesmo quando descobrir que está fazendo isso. Compreenda apenas que foi dessa maneira que você foi treinado e que agora está experimentando uma maneira nova, mais apropriada e mais saudável de viver no mundo.

Portanto, quando descobrir que perdeu ou que está perdendo o contato consigo mesmo e que está se concentrando exclusivamente nos outros e se preocupando com o que eles possam estar pensando, apenas afaste a atenção deles e volte a pensar em si mesmo. O mesmo se aplica quando você notar que está se preocupando com o que uma determinada pessoa (como sua mãe ou seu parceiro ou parceira) possa estar pensando ou acreditando a respeito do que quer que esteja acontecendo. Independentemente de quem sejam — pessoas em geral ou alguém em particular —, quando você notar que está fazendo isso, simplesmente afaste a atenção da outra pessoa (ou pessoas) e volte a atenção para si mesmo.

E pergunte a si mesmo: o que minha Bússola Interior está dizendo a respeito disso? Em seguida apenas observe o que vier à tona. Você tem uma sensação de tranquilidade e fluidez a respeito da situação atual ou da pessoa, ou sente um mal-estar e resistência? Isso é tudo o que você deve fazer.

Apenas observe.

Desse modo, para resumir o exercício, eis os principais passos:

Exercício da Bússola Interior

1) Pense a respeito e considere o fato de que você tem uma Bússola Interior. Releia este livro, sobretudo as primeiras páginas.
2) Tome a decisão de ficar atento à sua Bússola Interior no decorrer do seu dia.
3) Comece a notar como você se sente em vários momentos durante o dia e lembre-se de que suas emoções importam.
4) Quando você perceber que está pensando em outras pessoas ou se preocupando com o que elas possam estar pensando, pare.
5) Volte para si mesmo e observe como você está se sentindo. Preste atenção às suas emoções.

Verifique regularmente sua Bússola Interior

Se a observação e o acompanhamento da sua Bússola Interior de uma maneira mais consciente for uma novidade para você, pode ser proveitoso criar o hábito de verificar e observar sua Bússola Interior várias vezes durante o dia. Uma vez mais, apenas pare por um instante e observe que tipo de impulsos sua Bússola Interior está lhe dando neste exato momento. Pergunte a si mesmo: o que eu sinto ser bom para mim agora? Em que direção eu sinto que as coisas fluem com mais facilidade? Eu sinto que é melhor trabalhar nesse projeto ou fazer uma pausa e trabalhar em outra coisa? Como me sinto sobre dar ou não aquele telefonema? E a respeito de hoje à noite? Eu realmente quero ir ao cinema com meus amigos? Ou sinto que é melhor passar momentos tranquilos em casa? E quanto ao convite para aquele jantar no próximo fim de semana, como me sinto em relação a isso? O que a Bússola Interior está me dizendo? E a situação no trabalho — aquela que surgiu entre alguns membros da equipe? Sinto que é bom convocar uma reunião e dizer alguma coisa para eles? Ou sinto que é melhor deixar as coisas como estão, pelo menos por enquanto?

Repetindo então, pergunte a si mesmo ao longo do dia: o que eu sinto ser melhor para mim agora, neste exato momento, nesta situação particular? E depois apenas observe como você se sente.

Você já está seguindo sua Bússola Interior de muitas maneiras!

Quando você começar a trabalhar com a Bússola Interior, provavelmente notará que já a está seguindo de muitas maneiras [...] apenas não tinha percebido isso antes. Pelo menos não de uma maneira consciente. Mas acredite, você está, porque todos somos instintivamente arrastados em direção ao que sentimos ser melhor para nós mesmos. Pense um pouco. Você sabe o que mais gosta de comer no café da manhã, seja cereais, farinha de aveia, ovos ou torrada. Café ou chá. Sabe quais empregos o atraem e quais o matariam de tédio. E o mesmo se aplica aos livros e filmes. Você sabe quais histórias o estimulam e quais o deixam indiferente. E quando se trata de sair de férias, você também sabe aonde gostaria de ir. Talvez adore as montanhas. Ou talvez prefira uma grande cidade. Ou um paraíso tropical. Você está sempre sendo atraído para os tipos de lugares que fazem você se sentir bem. E o mesmo é válido para a música -- você sabe muito bem o que o deixa feliz e o que não deixa. Portanto, como pode ver, você já está seguindo sua Bússola Interior de várias maneiras, grande parte do tempo, sem ao menos perceber isso — simplesmente porque é natural para cada um de nós ser atraído para o que nos faz sentir bem. Todos somos naturalmente atraídos para o que nos faz sentir mais parte do fluxo da vida porque é isso que sentimos ser melhor e mais natural.

Por conseguinte, a realidade é que estar em harmonia com quem você é de fato e se dedicar ao que o faz se sentir bem transmite uma sensação muito boa! E isso vale para todas as pessoas! Todos gostamos de nos sentir bem.

Por outro lado, é claro que você provavelmente notará que existem algumas áreas da sua vida em que está indo contra os sinais da sua Bússola Interior. Áreas nas quais você está se obrigando a fazer coisas que não o fazem se sentir bem. Ao perceber isso, você também descobrirá que está fazendo coisas que não o fazem se sentir bem pelo simples fato de que acha que "deve" fazer ou porque tem medo do que outras pessoas poderão pensar se você não fizer!

Ora, isso não é interessante?

Você está com medo de se conscientizar de como se sente?

Eis outra coisa que descobri enquanto trabalhava com pessoas. No início, algumas têm medo de fazer o exercício da Bússola Interior por achar que se observarem, SINCERAMENTE, como se sentem em relação a alguma coisa, terão que agir de imediato e em conformidade com essa informação. Portanto, eu sempre digo às pessoas no início: "Comecem fazendo o exercício apenas para observar como vocês se sentem de verdade. No início, vocês não terão que tomar nenhuma atitude em relação ao que descobrirem. Apenas façam o exercício e vejam o que aparece".

Digo isso porque cheguei à conclusão que, para algumas pessoas, descobrir de repente que sua Bússola Interior está lhes dizendo uma coisa muito diferente daquela que elas têm feito quase o tempo todo pode ser estressante demais ou provocar ansiedade, sobretudo se elas tiverem sido durante a maior parte da vida do tipo que vive para agradar aos outros!

Assim, quando você começar a trabalhar com sua Bússola Interior, sugiro que seja amável consigo mesmo e comece devagar. Comece apenas observando como você na verdade se sente em diferentes momentos durante o dia, e em diferentes situações. Relaxe e observe o que a sua Bússola Interior está lhe dizendo. Apenas observe. Digo isso porque sua Bússola Interior está sempre presente, está sempre lhe fornecendo informações precisas a respeito de como você se sente de fato em relação a quem você é e do que está mais em harmonia com você. Apenas tente relaxar e observar isso.

Isso é tudo o que precisa fazer para começar.

Apenas observe como você se sente e procure ser o mais SINCERO possível a respeito disso. Em outras palavras, procure ser sincero consigo mesmo ao notar o que está acontecendo dentro de você, sem se preocupar com as consequências do que está descobrindo. Permita-se apenas sentir como na verdade se sente.

A mudança começa a acontecer de uma maneira natural e automática

Depois, à medida que começar a se acostumar a observar sua Bússola Interior e as informações que ela está lhe fornecendo, você dará consigo fazendo pequenos ajustes e mudanças na sua vida. Isso acontece automaticamente. Não tanto porque você "deva" ou "tenha que" fazê-lo, mas porque fazer isso parece bom e natural. À medida que você começar a escutar sua

Bússola Interior de maneira consciente, descobrirá que fazer ajustes faz com que se sinta bem e que está de acordo com quem você de fato é. Portanto, isso não é algo que você precise forçar, mas algo que se desenvolverá de um modo natural e acontecerá automaticamente à medida que você começar a se sentir mais à vontade em confiar na sua Bússola Interior e em ser você mesmo.

Talvez você resolva não trabalhar e tirar o dia de folga apenas por sentir que precisa de um descanso. E enquanto está deitado no sofá, recarregando um pouco a bateria, você de repente se lembra de como gostava de pintar quando era mais jovem. E, vejam só, na próxima vez em que você for ao centro da cidade, sua Bússola Interior lhe dirá que é uma boa ideia ir até a loja de materiais artísticos e comprar um pouco de papel e tinta [...] e depois [...] e depois.

Você nunca sabe o que poderá descobrir quando começar a escutar os sinais que vêm de dentro de você!

A Bússola Interior não é mental

Uma vez que sua Bússola Interior diz respeito ao sentimento, podemos deduzir que ela não é algo mental. Ela não consiste em refletir, racionalizar ou explicar as coisas. Ela só lhe diz uma coisa: se o sentimento é bom ou não. Em outras palavras, se você está ou não em sintonia com a Grande Inteligência Universal. É isso que a Bússola Interior está fazendo; e ela está lhe passando essa informação por meio dos seus sentimentos.

Então, como eu disse, sua tarefa é observar como você se sente em relação ao que quer que esteja acontecendo. Você se sente bem a respeito disso ou não? Se a resposta for sim, então você está em sintonia com quem realmente é. E isso não é uma coisa que possa decidir por meio do pensamento (apenas porque existem muitos fatores envolvidos, o que impede que a nossa mente racional e limitada consiga entender o que está acontecendo). E é por isso que a Bússola Interior está relacionada com o sentimento; ela é um barômetro do sentimento. Portanto, a única pergunta que você precisa fazer é a seguinte: como me sinto em relação a isto? Isto me transmite uma sensação de bem-estar ou de mal-estar? Essa é a informação que você deve observar neste momento. E se a sensação for boa, então é bom para você, neste momento. E apenas neste momento.

Eu sei que isso parece muito simples para a maioria de nós, porque estamos acostumados a tentar descobrir coisas, a encontrar as respostas por meio do pensamento. Mas a parte ardilosa a respeito de tentar descobrir coisas e encontrar soluções por meio do pensamento é que sempre há, a cada instante, um sem-número de fatores diferentes envolvidos. Sempre há na verdade uma infinidade de fatores e aspectos envolvidos em cada situação individual. Portanto, não apenas é impossível calcular tudo, como também, ao tentar chegar à suposta "melhor" solução por meio do pensamento, tendemos a deixar de examinar nossas emoções. Tendemos a não perceber como realmente estamos nos sentindo a respeito do que quer que esteja acontecendo.

É por esse motivo que a Bússola Interior é um mecanismo tão interessante e fundamental — porque se baseia na importância dos nossos sentimentos, algo que quase todos nós entendemos mal e negligenciamos.

Assim, a premissa básica é a seguinte: *se você sente que uma coisa é boa, ela é boa para você.* E esse é um conceito bastante espantoso para quase todos nós, porque fomos treinados a não confiar nos nossos instintos naturais, nos nossos sentimentos e na nossa orientação interior e a acreditar que temos que fazer os mais diferentes tipos de coisas com as quais não nos sentimos bem a fim de agradar a outras pessoas.

A Bússola Interior e a Grande Inteligência Universal

Desse modo, se nossa Bússola Interior não é mental, o que ela é? Como ela sabe o que ela sabe? Como eu disse no início do livro, existe uma Inteligência Maior, que eu chamo de Grande Inteligência Universal, que está criando, organizando e coreografando tudo na criação — do mais minúsculo ao mais gigantesco, em cada momento do tempo. Uma inteligência extremamente vasta que está muito além da compreensão humana. E a nossa Bússola Interior é nossa ligação ou conexão direta com essa Grande Inteligência Universal — com esse conhecimento maior. Mas é importante compreender que nossa mente humana racional e limitada (com seu modo de pensar e analisar lógico e sequencial) não é capaz de captar ou entender esse conhecimento maior. Nossa mente é simplesmente incapaz de processar e entender e/ou compreender tudo o que está acontecendo neste surpreendente Universo infinito em qualquer momento considerado. O número de informações é vasto e muda rápido demais. Mas a Grande Inteligência Universal, o computador cósmico, que está além da compreensão da nossa mente lógica, pode fazer e está fazendo isso. E é por isso que quando escutamos os sinais da nossa Bússola Interior (que é nossa conexão com a Grande Inteligência Universal), somos guiados e dirigidos de um modo que está além da nossa capacidade lógica de chegar às mesmas conclusões por meio dos pensamentos.

E lembre-se de que a Grande Inteligência Universal está nos fornecendo essas informações por meio de nossas emoções, as quais estão nos apresentando uma leitura instantânea do nosso relacionamento com o que está acontecendo, que é, na verdade, a totalidade da criação!

Por conseguinte, a Grande Inteligência Universal — que sincroniza simultaneamente tudo na totalidade do Universo, os bandos de pássaros que voam no alto em direção ao sul, os cardumes de peixes nos grandes oceanos que nadam juntos como uma única mente, a perfeita dança dos planetas que giram ao redor do Sol e as vastas galáxias que rodopiam no espaço — também está lhe oferecendo uma perfeita orientação, se você se der ao trabalho de escutar. Por essa razão, quando você segue sua Bússola Interior, não apenas está fazendo o que é melhor para si mesmo, como também está fazendo o que é melhor para o todo, embora entender ou explicar isso esteja além da capacidade da sua mente racional (ou da mente racional de qualquer pessoa)! Também é por esse motivo que os sábios dizem: "O bem de um é o bem de todos"!

Escutar a Bússola Interior é ser egoísta?

No processo de *coaching*, quando oriento as pessoas a encontrar e seguir sua Bússola Interior, elas muitas vezes perguntam: "Mas não é egoísmo da minha parte seguir minha Bússola Interior?". Essa pergunta é sincera porque quase todas as pessoas com quem eu trabalho são muito íntegras e desejam beneficiar o mundo e ajudar os outros, o que, naturalmente, é uma coisa boa. Todos nós queremos contribuir para o bem-estar social do mundo e apoiar as pessoas na nossa vida, o que é outra maneira de dizer que desejamos amar e ser amados.

Portanto, eis a minha resposta. Em primeiro lugar, é importante compreender que se você estiver se sentindo péssimo, doente ou deprimido, ou se estiver estressado demais, vai ter muita dificuldade para viver sua própria vida, o que praticamente o impedirá também de fazer o bem para outras pessoas. Eu às vezes trabalho com pessoas que estão de licença médica em razão do estresse, e quando examinamos suas histórias fica óbvio que elas "desabaram" por causa da incapacidade de dizer "não", de estabelecer limites e de cuidar bem de si mesmas. Em outras palavras, elas não estavam seguindo sua Bússola Interior. Em decorrência disso, acabaram estressadas e doentes, o que infelizmente reduziu muito a capacidade delas de fazer coisas boas para as pessoas que faziam parte de suas vidas (que era o que pretendiam fazer desde o início).

Portanto, a partir desse ponto de vista, fica bastante óbvio que escutar sua Bússola Interior faz sentido se você deseja fazer bem ao mundo. E isso independe de estarmos falando a respeito de ser um bom pai, uma boa mãe, um bom parceiro ou parceira em casa, ou um bom chefe ou colega no trabalho. Cuidar bem de si mesmo é um pré-requisito para que possa cuidar bem dos outros, não importa quem você seja e o que faça. Portanto, é importante cuidar de si mesmo para que possa se sentir bem e apoiar os que estão à sua volta.

Isso é um pouco parecido com viajar de avião com crianças pequenas. Tenho três filhos e lembro-me muito bem como era. A comissária de bordo explicava que se a pressão na cabine diminuísse e as máscaras de oxigênio caíssem sobre nossas cabeças, era importante que eu (a mãe) colocasse minha máscara primeiro, antes de ajudar meus filhos. Isso é necessário porque se a mãe puser a máscara nos filhos primeiro e em seguida cair morta por falta de oxigênio, como poderá ajudá-los? Portanto, estamos falando aqui do mesmo princípio. *Ajude primeiro a si mesmo para poder ajudar os outros. Cuide bem de si mesmo primeiro, para poder cuidar bem dos outros depois.*

Mas tudo isso também encerra outro aspecto importante. Quando dizemos "ser egoísta", o que de fato estamos querendo dizer com o "eu" em relação ao qual estamos sendo egoístas? Estamos falando do pequeno "eu" — o ego ou personalidade — que diz "eu, eu, eu", ou estamos falando a respeito da nossa conexão com o nosso Verdadeiro Eu, que é no que consiste a Bússola Interior? Porque se estivermos falando a respeito do nosso Verdadeiro Eu, escutar a Bússola Interior não pode de maneira alguma ser "egoísta" no menor sentido da palavra, porque a Bússola Interior é nossa conexão com a Grande Inteligência Universal que conhece nosso Verdadeiro

Eu e leva tudo (e todo e qualquer ser individual) em consideração e está orquestrando a perfeita, vasta e assombrosa dança de todo este infinito Universo. E se for esse o caso, o que de fato é, então quando nos sintonizamos com essa Magnífica Inteligência estamos nos sintonizando com a sabedoria do todo, que está sempre avançando em direção a um equilíbrio e harmonia cada vez maiores [...] o que se traduz para nós em um bem maior, mais amor, mais generosidade para nós mesmos e para todo o mundo [...] o que, uma vez mais, é o motivo pelo qual é uma excelente ideia escutar sua Bússola Interior.

A Escala Emocional e como manter sua energia elevada

No que diz respeito a isso, cuidar bem de si mesmo encerra outro aspecto interessante. Quando eu digo cuidar bem de si mesmo estou me referindo a você estar em sintonia com o seu Verdadeiro Eu e com a Grande Inteligência Universal, porque quando isso acontece — quando está em sintonia — você se sente bem e sua energia está elevada. Ora, e por que cuidar bem de si mesmo e manter sua energia elevada é tão importante quando se trata de ser uma influência positiva no mundo e ajudar outras pessoas?

Para responder a essa pergunta, vamos examinar a Escala Emocional que se segue, que mostra as diferentes emoções e os diferentes níveis de energia e frequências dessas emoções, porque essa é uma outra boa maneira de examinar e entender as informações que sua Bússola Interior está lhe fornecendo.

Todo mundo sabe que existem emoções positivas e emoções não tão positivas. Também podemos dizer que as emoções positivas e as emoções não tão positivas representam diferentes níveis de energia. E com diferentes níveis de energia, estou me referindo às diferentes frequências nas quais as energias estão vibrando, porque a maneira como "sentimos" as diferentes energias nos diz em que frequência uma emoção está vibrando e porque as diferentes emoções ou sentimentos vibram em diferentes frequências.

Pense por um momento nas suas diversas emoções [...] e você percebe de imediato que sente cada uma delas de uma maneira diferente. Todo mundo é capaz de perceber a diferença entre sentir raiva e sentir amor. Todo mundo consegue perceber a diferença entre sentir-se deprimido e feliz. Ou a diferença entre sentir-se confuso e que as coisas estão claras. Todos sabem que esses sentimentos são muito distintos. E também sentimos a energia dessas diferentes emoções de um modo bem diferente.

Todos nós sabemos também que as energias da depressão, do medo ou da ansiedade nos fazem sentir pesados, solitários e com vontade de nos distanciar da vida, ao passo que as energias do amor, da paixão e do entusiasmo nos fazem sentir abertos, felizes e empolgados com a vida.

Portanto, é isso que quero dizer quando afirmo que as várias emoções ou sentimentos vibram em diferentes frequências. E essas frequências nos fazem nos sentir de maneiras diferentes. E, como descobrimos, algumas emoções ou energias nos fazem nos sentir bem dispostos, ao passo que outras não nos fazem nos sentir tão dispostos em relação a nós mesmos e à vida.

Em uma escala decrescente, quanto mais positiva for uma emoção, mais elevada é a frequência vibracional. Quanto menos positiva for uma emoção, mais baixa é a frequência vibracional.

Por conseguinte, se categorizarmos nossos sentimentos/ emoções em uma escala emocional a partir das frequências mais baixas para as mais elevadas, obteremos uma lista assim, em uma escala que vai de mais baixa (na parte inferior da lista, oposta) para mais elevada, no topo:

A Escala Emocional

Energia elevada, positiva
Amor / Amor incondicional / Paz / Reconhecimento / Paixão
Mental / Pensamento racional / Entendimento intelectual
Aceitação / Vê a vida pelo que ela realmente é
Disposição / Disposto a participar da vida e contribuir
Coragem / Poder pessoal / Assume a responsabilidade por si mesmo
Raiva / Orgulho / Culpa os outros
Medo / Ansiedade / Culpa a si mesmo
Depressão / Culpa a si mesmo
Culpa / Vergonha / Culpa a si mesmo
Energia baixa, negativa

Também é importante compreender que quanto mais elevado for o nível ou frequência de uma emoção, mais em sintonia você está com o seu Verdadeiro Eu e com a Grande Inteligência Universal. Então é isso que sua Bússola Interior está lhe dizendo. Ela informa que quanto mais alto você está na escala emocional sob a ótica de como encara a vida, as outras pessoas e a si mesmo, melhor você se sente, porque está cada vez mais em harmonia com a Grande Inteligência Universal que criou você e todo este Universo.

Portanto, resumindo, quanto mais elevado o nível da energia ou da frequência, melhor você se sente. De um modo geral, as pessoas que estão em uma posição alta na escala emocional são mais felizes na vida do dia a dia. Em outras palavras, a experiência de vida delas é mais feliz do que a experiência das pessoas que estão em uma posição mais baixa na escala emocional. Além disso, a energia das emoções de frequência mais elevada é muito mais poderosa do que a energia das emoções de frequência mais baixa. Por conseguinte, quando sua energia está alta, você não apenas se sente melhor e mais expansivo, como também é mais poderoso. E sua capacidade de ajudar e influenciar outras pessoas de uma maneira positiva aumenta porque você está em sintonia com a Grande Inteligência Universal, que é Energia Infinita Onipotente. Em contrapartida, quando você está experienciando emoções não tão positivas, sua energia é baixa porque você está fora de sintonia e, portanto, não desfruta tanto a vida — e sua capacidade de fazer bem a si mesmo, à sua família e ao mundo ao seu redor diminui.

Consequentemente, seguir sua Bússola Interior e se sentir bem também é a melhor maneira de ser útil às outras pessoas! Portanto, cuide bem de si mesmo se quiser ser uma influência positiva no mundo.

Você é a única pessoa que tem acesso à sua Bússola Interior

Eis outro ponto que é importante compreender: você é a única pessoa que tem acesso à sua Bússola Interior. Por quê? Bem, isso nos leva de volta à natureza da realidade, à natureza dessa coisa chamada vida. Se examinar com cuidado a natureza da realidade, verá que você é o único que está dentro de você. Só você pode ter seus pensamentos e sentir o que está sentindo. Mais ninguém pode entrar dentro de você e saber como é ser você. Mais ninguém acorda no seu corpo de manhã e anda de um lado para o outro dentro de você o dia inteiro, de modo que mais ninguém em todo o Universo pode saber como é ser você. Outras pessoas podem conjecturar, especular, fazer perguntas e pressupor. Mas não podem *saber*. Só você pode saber como é ser você, porque você é o único que está dentro de você. É por isso que mais ninguém tem acesso à sua Bússola Interior ou está em contato com ela. Isso acontece porque a Bússola Interior está dentro de você. Ela é um mecanismo de "sentimento" que funciona dentro de você.

Portanto, a Bússola Interior se baseia na realidade de que mais ninguém pode "sentir" por você. É importante entender e pensar com cuidado a respeito disso. Desse modo, reflita um pouco sobre isso e repare que ninguém pode "pensar" por você. É como respirar — ninguém pode respirar por você. Tampouco ingerir sua comida por você.

Por conseguinte, lembre-se disso quando estiver em dúvida sobre a Bússola Interior. Lembre-se de que mais ninguém pode saber como você "sente" a vida, ou como sente as coisas. Apenas você pode sentir e saber isso. Você também é a única pessoa que sabe o que não é bom para você. Só você pode saber isso porque é a única pessoa que está dentro de você. Apenas você pode "sentir" por você.

Então, por favor, tenha cuidado quando alguém lhe disser que sabe o que você está sentindo ou o que é melhor para você! Como essa pessoa pode saber isso? Tudo o que ela pode fazer é pressupor que é capaz de "sentir" o que você está sentindo, mas de modo algum ela pode "saber" de fato o que você realmente sente. Isso simplesmente não é possível! Então como ela pode afirmar que sabe o que é melhor para você? É por isso que eu digo: tome cuidado quando alguém afirmar que sabe o que é melhor para você.

Quando entendemos isso, do mesmo modo podemos perceber que o inverso também é verdadeiro. Tampouco temos acesso à Bússola Interior de qualquer outra pessoa. E isso nos diz que, por mais que sejamos próximos de alguém, por mais que amemos essa pessoa, ainda assim não temos acesso à Bússola Interior dela nem a como ela se sente sendo ela, simplesmente porque não estamos dentro dela. Não temos acesso aos "sentimentos" dela — não temos acesso a como ela "sente" a vida. Por conseguinte, tampouco temos acesso à Bússola Interior dela. Assim, repetindo, tome cuidado quando achar que sabe o que é melhor para qualquer outra pessoa! Como você pode saber, se não está dentro dela?

Não existe um padrão universal — não existe um tamanho único

Uma vez que cada pessoa é diferente e está em uma situação e época diferente na sua vida e evolução, não há um padrão universal — não existe "um tamanho único" — para o que é melhor para cada indivíduo no planeta, em qualquer momento considerado.

Pense no seguinte: as informações que cada pessoa está recebendo da sua Bússola Interior se baseiam não apenas em uma multiplicidade de fatores e informações em constante transformação, que se fundamentam em quem essa pessoa é e onde ela está na sua evolução e na sua jornada da vida, como também se baseiam em onde a pessoa está na Escala Emocional (consulte a página 49). Desse modo, o que uma determinada pessoa pode sentir que é bom, outra pode sentir que não é. Tudo depende de quem você é e de onde está, sob a ótica da sua vida e do seu desenvolvimento. Esse também é o motivo pelo qual cada pessoa tem a sua própria Bússola Interior — porque todos somos diferentes. Cada um de nós é único.

Quando compreendemos que cada pessoa é única e que todos somos diferentes sob vários aspectos, também podemos entender por que não existe "um tamanho único". Cada um de nós é uma criação exclusiva da Grande Inteligência Universal que criou e anima tudo o que existe. Isso é mais ou menos como nossas impressões digitais. Cada um de nós possui uma impressão digital exclusiva. Não há duas impressões digitais idênticas, motivo pelo qual a polícia e as autoridades usam as impressões digitais para nos identificar. Ninguém tem a sua impressão digital e ninguém tem a minha. A Bússola Interior também é assim. Você tem a sua própria Bússola Interior e o seu sistema de orientação interior e eu tenho o meu. Você tem a sua conexão específica (Bússola Interior) com a Grande Inteligência Universal, que se baseia em quem você é, onde você está, para onde está indo e em todas as outras coisas a seu respeito. E eu tenho a minha. A sua Bússola Interior só funciona para você e a minha só funciona para mim. E como a sua Bússola Interior está dentro de você, somente você tem acesso a ela. Mais ninguém pode entrar dentro de você e ter acesso à sua Bússola Interior. O mesmo é verdade em relação a mim.

Isso também explica por que algumas pessoas preferem a vida tranquila no interior, ao passo que outras adoram o corre-corre de cidades grandes como Nova York, Paris ou Londres. Uma coisa é melhor do que a outra? E os relacionamentos? Algumas pessoas apreciam os relacionamentos abertos, enquanto outras preferem a monogamia e ter um único parceiro ou parceira a vida inteira. Algumas gostam de trabalhar até tarde, ao passo que outras adoram ir para casa cedo para estar com os filhos. Algumas pessoas desejam ter muitos filhos, enquanto outras preferem não ter nenhum. Algumas gostam de passar o maior tempo possível em contato com a natureza selvagem, ao passo que outras jamais pensariam em fazer algo assim. Algumas gostam de meditar, outras de dançar, outras ainda estão sempre coladas no Facebook e no Twitter nos seus *smartphones* [...] e assim por diante.

É por isso que é muito importante que você não se compare com ninguém — porque não existe "um tamanho único". Comparar-se com outras pessoas só lhe causará problemas, porque você é único. Você não é outra pessoa — você não está no lugar de ninguém: você está no seu lugar. Comparar-se com qualquer outra pessoa irá apenas confundi-lo e afastá-lo da sua verdade e da sua Bússola Interior.

Quando entendemos tudo isso, também entendemos por que é ridícula e absurda a ideia de que existe um padrão universal ou uma resposta certa que funcionará perfeitamente para todas as pessoas, em todas as culturas, em todos os países, em todos os tempos e para todas as faixas etárias, porque isso não é possível.

Estamos todos em uma curva de aprendizado

Quando você começar a lidar com a Bússola Interior, também é importante que compreenda que ela só diz respeito ao AGORA — ao momento presente e a como você está se sentindo no momento presente. Portanto, é importante que entenda que não importa o que você descubra que está sentindo agora, isso poderá mudar amanhã ou até mesmo daqui a uma hora, porque a vida é um fluxo fluido de energia e de acontecimentos em constante mudança.

Com relação a isso, também é proveitoso compreender que estamos todos em uma curva de aprendizado. E com isso quero dizer que estamos todos evoluindo — você, eu e todas as outras pessoas. Sendo assim, nossas necessidades, sonhos, desejos e esperanças — todas essas coisas — também continuam a evoluir e a mudar.

É por isso que os sinais da Bússola Interior também mudam constantemente, porque eles estão se ajustando a essa evolução e a essa realidade fluida. O que explica por que algo que certa vez você sentiu que era bom pode não parecer tão bom agora, porque você mudou ou evoluiu. Ou vice-versa: algo que certa vez você sentiu que não era tão bom poderá parecer melhor agora. Mais uma vez, isso aconteceu porque você mudou e tudo o mais provavelmente também mudou. Então é exatamente isso. Como tudo muda, inclusive você, o que é melhor para você neste momento do agora também está continuamente em processo de mudança.

Quando compreendemos esse processo de mudança, entendemos que isso significa que não existe um ponto fixo e perfeito, com uma solução fixa e perfeita que permanece sempre verdadeira para você, para mim ou para qualquer outra pessoa. Não existe uma solução certa e estática para todos os momentos. Tudo é instável e está fluindo, porque tudo continua a mudar e evoluir.

Portanto, quanto mais você for capaz de "fluir" com a instabilidade e a fluidez da vida, mais fácil será para você desfrutar a vida — onde quer que esteja. E é nisso que consiste a Bússola Interior. Quando você a escuta e fica aberto aos sinais da Grande Inteligência Universal, fica mais fácil aprender e se ajustar, se reajustar e voltar a se ajustar ao que quer que esteja acontecendo em você e à sua volta. E depois você vai apenas descobrir que está se sentindo, todos os dias, a partir de todos os pontos de vista, cada vez melhor!*

Sua Bússola Interior nunca diz "deveria"

Embora outras pessoas (nossos pais, a sociedade etc.) possam tentar nos dizer o que "deveríamos" dizer, fazer ou sentir, a Bússola Interior nunca diz "deveria". Tudo o que ela lhe diz é se algo lhe transmite um sentimento bom ou não, de uma maneira sincera e sem qualquer explicação. Portanto, quando você ouvir uma voz dentro de si mesmo lhe dizendo que embora você sinta que uma determinada coisa não é boa você "deveria" mesmo assim fazer isto ou aquilo, pode ter certeza de que essa não é a voz da sua Bússola Interior. Essa voz, ao que tudo indica, é da sua mãe, do seu parceiro ou parceira, do seu filho ou de um amigo bem-intencionado [...]. Mas com certeza não é a voz da sua Bússola Interior! Afirmo isso porque a Bússola Interior nunca diz "deveria". Não existe nenhum "deveria" nos sentimentos, porque eles são muito óbvios e objetivos; eles são o que são. Os sentimentos nos causam bem-estar ou mal-estar. É simples assim.

E todos sabemos disso! Todos sabemos quando sentimos que algo é bom. Todos sabemos a diferença entre sentir alegria e sentir frustração. Todos sabemos a diferença entre sentir amor e sentir raiva. Todos podemos perceber a diferença

---

* A autora está se referindo à famosa citação de Émile Coué, *Tous les jours à tous points de vue je vais de mieux en mieux,* no original em francês. (N. da trad.)

entre esses sentimentos. Todos sabemos o que nos causa bem-estar e o que nos causa mal-estar. Nenhum de nós tem qualquer dificuldade em discernir isso!

Também é importante saber que quando ouvir as vozes de outras pessoas lhe dizendo (interna ou externamente) que você "deveria" — seja quem for essas pessoas, e por mais bem-intencionadas que elas possam ser —, você pode ter certeza de que está escutando uma informação que não é relevante para você, porque, como eu disse antes, a verdade é que ninguém pode entrar dentro de você e ter acesso a como você se sente sendo você. Isso é impossível. E qualquer pessoa que tente lhe dizer algo diferente está confusa, por mais bem-intencionada que ela possa estar.

Portanto, resumindo, tudo isso significa que quando alguém, seja seu pai, sua namorada, sua irmã, seu filho ou seu vizinho lhe der um conselho ou lhe disser como você deve arrumar o cabelo, escovar os dentes, criar seus filhos, lidar com seu parceiro ou, de um modo geral, como você deve viver sua vida, você será uma pessoa sábia se correr o mais rápido que puder para a saída mais próxima, porque mais ninguém pode saber, em qualquer momento, o que é melhor para você! Isso não é possível! E afirmo isso porque, como fico repetindo o tempo todo, você é a única pessoa dentro de si mesma que tem acesso à sua Bússola Interior. Só você sabe como sente as coisas. Só você sabe o que sente ser melhor para você. Nenhuma outra pessoa pode saber isso, porque ninguém pode entrar dentro de você e estar em seu lugar.

É por isso — verdadeiramente — que o teste decisivo para os sábios é que eles nunca dizem às outras pessoas como elas devem viver a vida delas. Eles podem ser capazes de falar a respeito dos princípios básicos e da lei de causa e efeito (em outras palavras, que tudo tem consequências), mas nunca, jamais, afirmam que sabem o que outra pessoa sente ser melhor para ela. Em vez disso, uma pessoa demonstra que é sábia quando declara: apenas você sabe o que é melhor para você [...] de modo que deve fazer o que você gosta!

E a "intuição" ou "a voz interior"?

Certa mulher me procurou, confusa em relação a ter ouvido o que ela chamou de sua "intuição" ou "seguir a voz interior". Ela me contou a seguinte história: "Eu morava em Copenhague e ouvi uma voz me dizendo que estava na hora de eu me mudar para Londres. Senti que aquela ideia era horrível, mas achei que se tratava da minha intuição ou da minha voz interior me dando uma orientação, de modo que me mudei. A mudança foi um desastre, e eu me arrependi por ter mudado".

Essa história traz à baila um equívoco comum. Podemos nos conectar com muitos fluxos de pensamentos diferentes — muitas ideias e impulsos diferentes — mas nem todo fluxo de pensamento ou impulso está lhe fornecendo uma informação apropriada ou é capaz de melhorar sua qualidade de vida. Então, como você pode saber ao certo o que fazer? Como você pode avaliar quando tiver uma ideia ou um impulso se ele representa um bom conselho ou orientação para você? Só existe uma maneira: escutar sua Bússola Interior, porque ela lhe informará no mesmo instante se você sente que o pensamento ou impulso é bom ou não. Em outras palavras, é por meio das emoções que sua Bússola Interior lhe informará se o impulso está ou não em harmonia com quem você realmente é. Portanto, tudo o que você precisa perguntar a si mesmo é o seguinte: este pensamento ou impulso me confere uma sensação de bem-estar ou de mal-estar? Um sentimento de despreocupação e fluxo ou uma sensação de ansiedade? E aí você tem a sua resposta.

Se essa mulher tivesse tido algum conhecimento sobre a Bússola Interior e compreendesse como ela funciona, não teria se mudado porque a ideia de sair de Copenhague e se mudar para Londres lhe causou um mal-estar imediato.

O que a Bússola Interior diz?

Oferta de trabalho

Recebi uma excelente oferta de trabalho que todo mundo que eu conheço diz que é perfeita. *Mas o que a Bússola Interior diz?* Quando penso em aceitar o emprego, sinto um mal-estar, sinto que alguma coisa está errada. Sendo assim, sigo minha Bússola Interior e, duas semanas depois, algo ainda melhor aparece!

Oferta de trabalho — versão 2

Recebi uma excelente oferta de trabalho que todo mundo que eu conheço diz que é perfeita. *Mas o que a Bússola Interior diz?* Quando penso em aceitar o trabalho, sinto um mal-estar, sinto que alguma coisa está errada. Mas não dou atenção à Bússola Interior e aceito a oferta. Desde o primeiro minuto em que cheguei ao novo local de trabalho tive uma sensação pesada, fiquei apreensivo. E meu novo chefe revelou-se um verdadeiro psicopata...

Crise no casamento
Meu casamento está em crise. Devo me divorciar ou não? Estou realmente em dúvida e não paro de pesar os prós e os contras de ambas as opções. No entanto, por mais que eu pense, sinto que nenhuma das duas é adequada. De repente, tenho uma nova ideia — sair de casa e ir morar sozinho durante algum tempo para colocar as coisas em ordem. *O que minha Bússola Interior diz?* A nova ideia me confere de imediato um sentimento de fluxo e tranquilidade, de modo que decido segui-la.

Devo então fazer sempre o que sinto ser bom?

Quando falamos sobre a Bússola Interior, em observar o que sentimos ser bom e depois fazer isso, algumas pessoas perguntam: "Isso significa que devo sempre fazer o que sinto ser bom?". E o que dizer sobre as coisas que sentimos ser boas no momento, como beber, nos automedicar, comer em excesso ou nos envolver com outros tipos de comportamento inadequados? O que fazer quanto a isso?

Essa é uma pergunta muito válida; vamos então dar uma olhada nesses tipos de atitudes. Em primeiro lugar, é importante compreender e observar que, às vezes, uma atividade que parece ser boa (como beber ou comer demais) é apenas uma tentativa de suavizar o mal-estar que surgiu por termos passado anos sem escutar nem seguir nossa Bússola Interior. Desse modo, como negligenciamos a Bússola Interior durante a maior parte da nossa vida (e muitos de nós fizemos exatamente isso), tendo procurado, em vez disso, agradar aos outros, ou sendo pessoas com medo de fazer o que sentimos ser certo para nós porque receamos as críticas e a desaprovação dos outros — então faz sentido termos acumulado uma grande quantidade de mal-estar interior (consulte a página 64 a respeito do que acontece quando não seguimos a Bússola Interior). Quando entendemos isso, também podemos perceber que, às vezes, o que "sentimos" ser bom no momento não é a Bússola Interior falando conosco e sim nossa tentativa de suavizar o mal-estar que se acumulou ao longo dos anos por NÃO termos escutado a Bússola Interior!

De modo que é aqui que as coisas podem ficar de fato complicadas para muitos de nós. E é aqui que temos que observar e ser sensíveis ao que está acontecendo dentro de nós.

Outra maneira de responder a essa pergunta é ter consciência de que se você beber para esquecer ou amenizar sua dor, poderá se sentir bem no momento, mas no dia seguinte acordará com ressaca. E se você continuar a beber para aliviar seu mal-estar, isso terá consequências destrutivas a longo prazo para sua saúde, sua vida, seu trabalho e seus relacionamentos. Ao passo que se você seguir sua Bússola Interior continuará a se sentir bem no dia seguinte e nos dias subsequentes.

A aprovação nos faz sentir melhor do que a desaprovação

Eis outro ponto de confusão. Como fomos programados, desde a mais tenra idade, a buscar o amor e a aprovação dos outros (para agradar aos outros) em vez de seguir nossa Bússola Interior, muitas pessoas farão o possível e o impossível para evitar a desaprovação, porque essa atitude as faz "se sentir melhor" a curto prazo, do que seguir a Bússola Interior, o que poderia levar as pessoas a criticá-las ou condená-las! Sendo assim, sacrificamos a nossa harmonia e integridade em prol da aprovação temporária dos outros. No entanto, infelizmente, a acumulação do mal-estar que acontece quando não seguimos nossa Bússola Interior durante muitos anos é muito maior do que o alívio temporário que sentimos, a curto prazo, ao evitar a desaprovação dos outros. Entender isso e notar quando isso acontece em várias situações e relacionamentos é algo que você só consegue aprender com o tempo, depois que começa a trabalhar com a Bússola Interior. Portanto, não seja duro consigo mesmo se você desconsiderar sua Bússola Interior e optar pela aprovação a curto prazo, mas comece a reparar quando isso acontece e notar as consequências disso na sua vida.

Acredito que esse comportamento de buscar aprovação tenha origem no nosso arraigado instinto animal, que vem nos dizendo há um sem-número de gerações que ser excluído do rebanho pode significar a extinção. Em outras palavras, nossas raízes históricas recuam no tempo a perder de vista, e a consciência coletiva tem uma base tribal há muitas e muitas gerações. Esse sentimento está de tal maneira entranhado que, mesmo hoje em dia, muitos de nós, com frequência, ainda sentimos inconscientemente que a desaprovação dos outros poderá significar a exclusão do grupo (família, tribo), podendo até mesmo ameaçar nossa sobrevivência. Por conseguinte, quando sentirmos esse tipo de ansiedade, é importante nos lembrar de que a sociedade evoluiu e que nós, no Ocidente, temos o privilégio de viver em sociedades democráticas, que protegem o direito de cada indivíduo de ser quem ele é e de viver a vida que ele quiser (a não ser, é claro, que ele esteja interferindo no direito de outra pessoa de viver a vida que ela escolher). Você encontrará mais detalhes sobre este assunto na seção sobre democracia, na página 137.

O que acontece quando você não escuta sua Bússola Interior

Sua Bússola Interior está enviando constantemente sinais para você; mas o que acontece quando você não presta atenção aos sinais e não age de maneira apropriada? Bem, os sinais não vão embora, eles apenas ficam mais altos e mais poderosos. Desse modo, quando você ignora sua Bússola Interior, ela se esforça cada vez mais para captar sua atenção. Isso significa que o que talvez tenha começado como um sentimento vago de um leve mal-estar se tornará um sinal mais forte. Se mesmo assim você não der importância ao sinal, não entender a informação que ele está lhe fornecendo e continuar a se afastar do que é melhor para você, o sinal da sua Bússola Interior se tornará ainda mais intenso. Por conseguinte, a inquietação e o mal-estar se tornarão cada vez mais pronunciados e mais poderosos. Quando isso acontece, as pessoas começam a sentir emoções realmente negativas, como nervosismo, ansiedade, medo, depressão, irritação ou raiva. Em outras palavras, os sentimentos ficam mais fortes.

É nesse ponto que muitas pessoas começam a procurar maneiras de lidar com seus sentimentos de mal-estar. Como não compreendemos a verdadeira causa do nosso mal-estar, e nem sabemos o que fazer a respeito dele, começamos a desenvolver várias estratégias para atenuar a dor dessas emoções desagradáveis. Podemos, por exemplo, comer em excesso, fazer exercícios demais, começar a beber ou usar drogas, ou ainda tomar remédios para aliviar o mal-estar. Algumas pessoas tentam lidar com isso dedicando-se excessivamente ao trabalho (e ficando viciadas nele), comendo demais (e desenvolvendo distúrbios alimentares), tornando-se compradoras ou jogadoras compulsivas, fazendo sexo em excesso ou qualquer outra coisa. Se esse processo for contínuo, o vício pode de fato se instalar. Todas essas estratégias são tentativas de amenizar o mal-estar que estamos sentindo. De aliviar a inquietação e a ansiedade que estamos sentindo em relação a nós mesmos e à nossa vida. Um mal-estar e uma inquietação que surgem porque não estamos escutando a Bússola Interior e porque não estamos em sintonia com a Grande Inteligência

Universal. Um mal-estar que surge porque não estamos vivendo em harmonia com quem realmente somos.

Por conseguinte, se continuarmos a negligenciar os sinais da nossa Bússola Interior e não entrarmos em sintonia com quem realmente somos, os indicadores físicos dessa falta de sintonia surgirão. Sintomas como dor de cabeça, dor nas costas, dor no estômago, tensão muscular etc. começam a se manifestar. Todos esses sintomas são indicadores de que não estamos acompanhando o fluxo natural de energia nem deixando que ele entre na nossa vida. Indicadores que dizem que alguma coisa não está funcionando de modo adequado nos nossos sistemas de energia. Nesse estágio de inquietação, em geral os sintomas não são crônicos e tendem a ir e vir; em outras palavras, eles aparecem e desaparecem dependendo de quanto nos afastamos ou nos aproximamos do alinhamento adequado.

Até que, por fim, se continuarmos a desconsiderar os sinais da nossa Bússola Interior, eles se tornarão ainda mais poderosos e poderão então se manifestar como as chamadas doenças "crônicas" ou "graves". Sob essa ótica, é interessante entender que a chamada doença grave pode ser compreendida como um sinal de que estamos em desarmonia com a Grande Inteligência Universal e com quem realmente somos, um sinal de que a energia não está fluindo de maneira harmoniosa no nosso sistema. Como qualquer pessoa que tenha estudado a conexão mente-corpo sabe, nosso corpo tende a manifestar e refletir o que está acontecendo emocionalmente dentro de nós. Sendo assim, faz muito sentido que, quando desconsideramos os sinais provenientes da nossa Bússola Interior, eles se manifestem em vários sintomas físicos que indicam uma falta de sintonia com o fluxo da vida.

Isso também nos diz que não importa qual seja a nossa condição física e emocional atual, nos voltar para dentro de nós mesmos, escutar nossa Bússola Interior e entrar em sintonia com a Grande Inteligência Universal pode ter, e por certo terá, um profundo efeito de cura para nossa saúde e de bem-estar físico e mental.

A emoção negativa é sua amiga

Quando entendemos que as emoções negativas são sinais da nossa Bússola Interior de que estamos fora de sintonia com o nosso Verdadeiro Eu e com a Grande Inteligência Universal, percebemos que as emoções negativas são na verdade uma coisa boa, porque a emoção negativa é um sinal da Bússola Interior de que nos desviamos do rumo e que não estamos em sintonia com o que é melhor para cada um de nós. Portanto, em vez de ter medo das emoções negativas e sentir-se mal por manifestá-las, na verdade é mais proveitoso lembrar a si mesmo de que suas emoções são apenas indicadores, que elas são o modo da Bússola Interior lhe mostrar se você está pensando e se comportando em harmonia com a Grande Inteligência Universal e com quem você realmente é ou se está fora do curso. Quanto mais forte a emoção negativa, mais forte o indicador de que você está fora do rumo.

As emoções negativas nos remetem à sensação de colocar a mão em um fogão quente, ou seja, queima. Quando algo assim acontece, você não fica zangado com sua mão por lhe avisar que é melhor que afaste a mão do fogão quente se não quiser se queimar! Você não diz para sua mão: o fogão não deveria me queimar! Em vez disso, você escuta a mensagem que a mão dolorida está lhe enviando e a afasta imediatamente do fogão! Portanto, as emoções negativas funcionam da mesma maneira. São mensagens que vêm de dentro de você, que estão tentando conduzi-lo em uma direção que esteja mais em harmonia com seu ser mais profundo, com seu Verdadeiro Eu e com a Grande Inteligência Universal. A única verdadeira questão neste caso é a seguinte: você está escutando? Ou continua com a mão no fogão quente?

Quando entendemos esse mecanismo, também podemos entender que a Bússola Interior representa uma vantagem incrível quando se trata de viver uma vida feliz, porque ela está sempre nos conduzindo na direção da verdadeira sintonia, que se traduz em alegria e felicidade.

O yoga, a atenção plena (*mindfulness*), a meditação, o pensamento positivo e a Bússola Interior

Eis outro aspecto que é interessante observar quando falamos a respeito das estratégias que empregamos para amenizar o mal-estar que sentimos quando não seguimos nossa Bússola Interior. Seria possível que o fato de trabalhar com muitas das nossas técnicas de autoajuda — como o yoga, a atenção plena (*mindfulness*), a meditação e até mesmo o pensamento positivo — possa ser às vezes — pelo menos em parte — uma tentativa que muitos de nós fazemos para amenizar a dor e o mal-estar que sentimos quando não escutamos nossa Bússola Interior? Isso seria possível? Seria possível que possamos até certo ponto estar nos voltando para essas práticas muito poderosas e maravilhosas na tentativa de amenizar o mal-estar causado pelo fato de não estarmos seguindo a Bússola Interior?

Mas mesmo que a resposta a essa pergunta seja "sim", por favor não me interprete mal quando eu digo isso. Não estou dizendo que essas técnicas em si não sejam extremamente proveitosas e benéficas. É claro que elas são! E eu, por exemplo, escrevi muitos livros a respeito dos benefícios de todas essas técnicas. Mas o que estou tentando explicar aqui é que se o estresse, o excesso de trabalho ou qualquer outro tipo de mal-estar o conduziu ao yoga, à meditação ou à atenção plena, talvez fosse uma boa ideia perguntar a si mesmo por que, para início de conversa, você está sentindo esse estresse ou mal-estar. Você está sentindo isso porque não está escutando sua Bússola Interior? Você está estressado porque tem medo de dizer "não" e estabelecer limites saudáveis para si mesmo (quer no local de trabalho, quer na sua família) uma vez que receia que as pessoas possam condená-lo? Se for esse o caso, então além de trabalhar com essas excelentes técnicas, talvez também esteja na hora de você encontrar e seguir sua Bússola Interior!

Quando surgiu o primeiro "não"?

Eis outra boa técnica de conscientização quando se trata de compreender e usar sua Bússola Interior. Quando você tem uma área (ou áreas) na sua vida em que está tendo hoje os chamados "grandes" ou "graves" problemas ou dificuldades, pode ser muito instrutivo e esclarecedor voltar e examinar a maneira como as coisas se desenvolveram nessa área da sua vida. Digo isso porque se você fizer esse exame, provavelmente descobrirá — se dedicar tempo a desacelerar um pouco as coisas — que a primeira vez que um "não" interior surgiu em relação a essa situação ou pessoa foi há muito, muito tempo. Em outras palavras, você sentiu pela primeira vez um mal-estar, ou uma sensação de inquietação surgiu dentro de você (um sinal da sua Bússola Interior) muito antes da situação se tornar realmente problemática para você.

Faça então uma tentativa. Experimente desacelerar as coisas em uma área que o esteja perturbando e verifique se o mal-estar de hoje começou a se manifestar há muito tempo. E você constatará que provavelmente foi isso o que aconteceu. O único problema foi que você não prestou atenção ou não levou a sério as mensagens interiores que estavam chegando até você. Em outras palavras, você não notou, não ouviu o sinal — não prestou atenção à sua Bússola Interior. Pense por um momento a respeito disso. Tome, por exemplo, um relacionamento que tenha se tornado muito problemático para você. É quase certo que, ao examinar hoje a situação, você descobrirá que havia sinais ou indicadores de que você estava de algum modo em desarmonia consigo mesmo no que dizia respeito a esse relacionamento muito antes de as coisas se tornarem realmente difíceis.

Mas você não estava escutando sua Bússola Interior, não estava prestando atenção ao mal-estar que estava sentindo nos estágios sutis iniciais. Mas se você relembrar o que aconteceu, descobrirá que o mal-estar já estava presente havia muito tempo. Mas devido à maneira como você foi criado (treinado, doutrinado, programado), ou por causa dos seus sistemas de crenças e do seu desejo de agradar às pessoas e/ou evitar o conflito, você desconsiderou as informações que vinham de dentro de você. Você desconsiderou o mal-estar. Você desconsiderou os sinais provenientes da sua Bússola Interior.

Mas o simples fato de desconsiderarmos o mal-estar não significa que ele irá embora, porque se o mal-estar é um sinal interior de que não estamos em sintonia com quem realmente somos e com o que é melhor para nós, ele apenas aumentará e continuará a crescer enquanto nosso comportamento não respeitar a nossa voz interior.

Portanto, mais uma vez, sugiro que preste mais atenção aos sentimentos que surgem e que vêm de dentro de você. Eles são os sinais da sua Bússola Interior que estão lhe dizendo a cada momento, em cada situação, o que está se passando com você.

A Bússola Interior e seus pensamentos a respeito de si mesmo

A Bússola Interior não está apenas lhe dando um *feedback* a respeito do seu relacionamento com outras pessoas e com o mundo; ela também está lhe dando um *feedback* sobre os seus pensamentos a respeito de si mesmo. Pense um pouco a respeito disso. Quando você tem pensamentos negativos acerca de si mesmo como "não sou bom o bastante", "há algo errado comigo", "nunca vou conseguir solucionar aquilo" ou "é tudo culpa minha", esses diferentes tipos de autocrítica e raciocínio negativo fazem com que você tenha uma imediata sensação de mal-estar. Ora, isso não é interessante? Se considerarmos isso à luz da Escala Emocional da página 49, que mostra os diferentes níveis de energia, veremos que os sentimentos de mal-estar são, na verdade, a Bússola Interior nos informando que esses pensamentos negativos (de baixa frequência) a respeito de nós mesmos estão em desarmonia com o que a Grande Inteligência Universal sabe ser verdade a nosso respeito. Portanto, o resultado é que o fato de você alimentar pensamentos negativos e autocríticos como esses significa que está em desarmonia com quem você realmente é, o que provoca uma forte sensação de mal-estar.

Do mesmo modo, quando você muda o foco para pensamentos mais agradáveis, amáveis e moderados a respeito de si mesmo como "estou fazendo o melhor que eu posso", "vou conseguir solucionar as coisas", "tenho certeza de que tudo será resolvido a contento", "há muitos fatores envolvidos nessa situação, de modo que não dá para ser tudo culpa minha" ou "todo mundo está em uma curva de aprendizado, inclusive eu" — você tem uma sensação imediata de alívio. Portanto, repetindo, sua Bússola Interior está lhe informando que esses pensamentos mais positivos (de frequência mais elevada) estão mais em harmonia com quem você realmente é e com aquilo que a Grande Inteligência Universal sabe a seu respeito.

É interessante observar que os pensamentos autocríticos são quase invariavelmente muito categóricos, envolvendo uma espécie de raciocínio simplista. Em outras palavras, os pensamentos não possuem nenhuma nuance, eles são uma coisa ou outra. Eles muitas vezes se traduzem na crença infantil que é mais ou menos assim: "Ou eu sou perfeito ou sou um completo idiota/fracasso", o que na verdade não corresponde à realidade. Ninguém na verdade é aquilo que chamamos de "perfeito" (seja lá o que isso signifique) e todos temos pontos fortes e fracos. É por isso que os pensamentos categóricos — como "perfeito" em contraste com "fracasso" — nos fazem sentir um mal-estar tão grande. A realidade é sempre muito mais variada — a realidade é o meio-termo, que está sempre fluindo, mudando e evoluindo — exatamente como você e eu estamos. A autocondenação e a autocrítica, por outro lado, têm um foco muito negativo, que quase sempre se baseia em expectativas e avaliações irrealistas sobre nós mesmos e sobre a vida em geral (para mais informações sobre a maturidade psicológica em contraste com o pensamento categórico e simplista, consulte meu livro *Sane Self Talk — Cultivating the Voice of Sanity Within*).

O que acabo de expor é outro bom motivo para que você escute os sinais da sua Bússola Interior — eles sempre lhe dirão quando você está se desviando do rumo — mesmo quando isso tiver a ver com a maneira como você está pensando a respeito de si mesmo!

Atividades da vida: é "Sobrevivência", sua "Paixão" ou "Coisas Intermediárias"?

Eis outra maneira interessante de examinar o que está acontecendo na sua vida. Para fazer isso, podemos dividir as atividades da nossa vida em três grupos ou categorias diferentes, da seguinte maneira:

Sobrevivência	Coisas Intermediárias	Sua Paixão
Trabalhar (emprego) para: Pagar o aluguel Alimentar os filhos Sobreviver	Todas as coisas que você "poderia" fazer ou sente que "deveria" fazer.	Coisas pelas quais você é apaixonado. Coisas que você se sente inspirado a fazer.

Vamos então começar pela "Sobrevivência". Quase todas as pessoas que eu conheço têm coisas que precisam fazer para sobreviver, pagar o aluguel e alimentar os filhos. E com isso quero dizer coisas como trabalhar em um emprego que talvez você não adore, mas que sente que pode fazer porque precisa pagar o aluguel e alimentar a família.

Há então o que eu chamo de "Sua Paixão". Muitos de nós somos apaixonados por algumas coisas, mas muitas vezes não podemos ganhar a vida nos dedicando a elas. Como ser um artista, surfar o dia inteiro, correr, ser um agente de cura, dançarino ou desenvolver uma nova invenção ou tecnologia. Alguns de nós, é claro, chegamos a um ponto da nossa vida no qual conseguimos de fato ganhar uma quantia suficiente para sobreviver (e até mesmo viver confortavelmente) fazendo as coisas que amamos. Quando isso acontece, bem, aleluia!

Usar as três categorias é outra maneira pela qual você pode usar sua Bússola Interior para obter um pouco mais de clareza na sua vida. Comece por dividir as atividades da sua vida pelas três categorias. Em seguida conecte-se com sua Bússola Interior, examine as três categorias e veja o que acontece. Se você fizer isso devagar, notará que tem uma sensação de bem-estar, tranquilidade e fluidez quando se concentra nas atividades que se encaixam nas categorias "Sua Paixão" ou "Sobrevivência". Por que na categoria Sobrevivência? Porque a sobrevivência é básica. É o instinto básico de todas as criaturas vivas. Você (e sua família) precisam sobreviver para poder ser capazes de fazer qualquer coisa nesta vida! Portanto, é óbvio que a sobrevivência nos faz sentir bem!

Mas e quanto ao restante das coisas da nossa vida? E é aqui que o que eu chamo de "Coisas Intermediárias" entram em cena. É aqui que eu notei, sobretudo por ter orientado muitas pessoas ao longo dos anos, que muitas delas estão desperdiçando grande parte da sua energia (e da sua vida) dedicando um tempo excessivo às "coisas intermediárias". E com isso estou me referindo a gastar tempo com coisas que sentimos ser aceitáveis ou razoáveis, mas que não despertam uma grande paixão nem são necessárias para a sobrevivência.

Se você olhar em volta, descobrirá que muitas pessoas (e talvez até mesmo você) estão por aí fazendo os mais diferentes tipos de coisas que sentem serem aceitáveis e que podem fazer, mas que não fariam se de fato escutassem sua Bússola Interior. Digo isso porque quando percebemos como nos sentimos em relação às coisas que se encaixam na categoria "intermediária", vemos que elas não são tão boas assim — e decididamente não sentimos que elas sejam magníficas. As coisas na categoria "intermediária" são apenas intermediárias. Ou poderíamos dizer que elas são suportáveis ou que podem ser feitas, mas elas não fazem você vibrar. Então, a que tipo de atividades estou me referindo? Estou falando de coisas como ir a festas desinteressantes quando você na verdade não está a fim de ir, ou sair com pessoas com quem você na realidade não se sente muito à vontade. Ou ir ver um filme ou assistir a um programa na televisão com seu namorado/namorada/parceiro/parceira quando você preferiria ler um livro ou fazer outra coisa. Ou [...] bem, você entende o que estou querendo dizer. Em outras palavras, sempre que estiver fazendo alguma coisa que você pode fazer, mas que não quer *realmente* fazer ou que não precisa fazer para sobreviver. A maioria dessas coisas são coisas que você pode fazer, coisas que não são tão ruins assim — não é como se você fosse morrer ou algo assim se as fizer. Mas a verdadeira pergunta é a seguinte: por que você iria querer desperdiçar sua preciosa força/energia vital com coisas desse tipo quando há outras coisas, coisas que você realmente ama e pelas quais sente paixão, que estão chamando por você? Por que você faria algo assim quando existem outras coisas que estão mais em harmonia com quem você realmente é e com o que deseja? De modo que, repetindo, se você escutar a sua Bússola Interior, não ficará em dúvida sobre nada disso...

Por conseguinte, como podemos lidar sabiamente com tudo isso? Como destrinçar todas essas coisas? Bem, para começar, apenas observe. Apenas repare no que está acontecendo e no que você está fazendo. Apenas notar como as diversas atividades na sua vida se encaixam nessas três diferentes categorias o ajudará a entrar em contato com sua Bússola Interior e com a forma como você realmente se sente em relação às coisas. E depois, bem devagar, sugiro que reduza as atividades que se encaixam na categoria intermediária e passe a se concentrar cada vez mais naquelas pelas quais é apaixonado.

O que a Bússola Interior diz?

Festa de aniversário

Meus pais querem dar uma festa de aniversário para minha filha de 5 anos. *Mas o que a Bússola Interior diz?* A ideia me confere um sentimento imediato de mal-estar. Mas receio que meus pais fiquem aborrecidos se eu recusar, de modo que cedo e aceito a oferta deles. No dia da festa, eu me sinto de fato péssima e minha filha acaba adoecendo. No dia seguinte, tenho uma forte enxaqueca, o que me impede de ir trabalhar. Levo vários dias para me recuperar por não ter seguido minha Bússola Interior.

O lançamento de um novo projeto

Terminei um grande projeto no qual venho trabalhando há muito tempo e agora estou pronto para lançá-lo.

No entanto, por alguma razão, todas as vezes que eu penso em lançar a nova iniciativa tenho uma genuína sensação de mal-estar. Não consigo explicar por que isso está acontecendo, uma vez que tudo parece pronto para decolar, mas decido seguir minha Bússola Interior, esperar e adiar o lançamento por algum tempo. Enquanto deixo o projeto de lado e me dedico a outras coisas, de repente tenho uma nova ideia brilhante que vai aprimorar muito o projeto! Graças a Deus, escutei minha Bússola Interior e esperei!

Há algo errado comigo

Estou passando por um momento difícil e penso o seguinte: "Há algo errado comigo". *Mas o que a Bússola Interior diz?* Acreditar nesse pensamento me confere uma sensação imediata de mal-estar. Em seguida, tenho o seguinte pensamento: "Sou um ser humano em evolução e tenho meus desafios como todas as outras pessoas. Isso não significa que haja alguma coisa errada comigo". Quando penso dessa maneira, me sinto muito melhor.

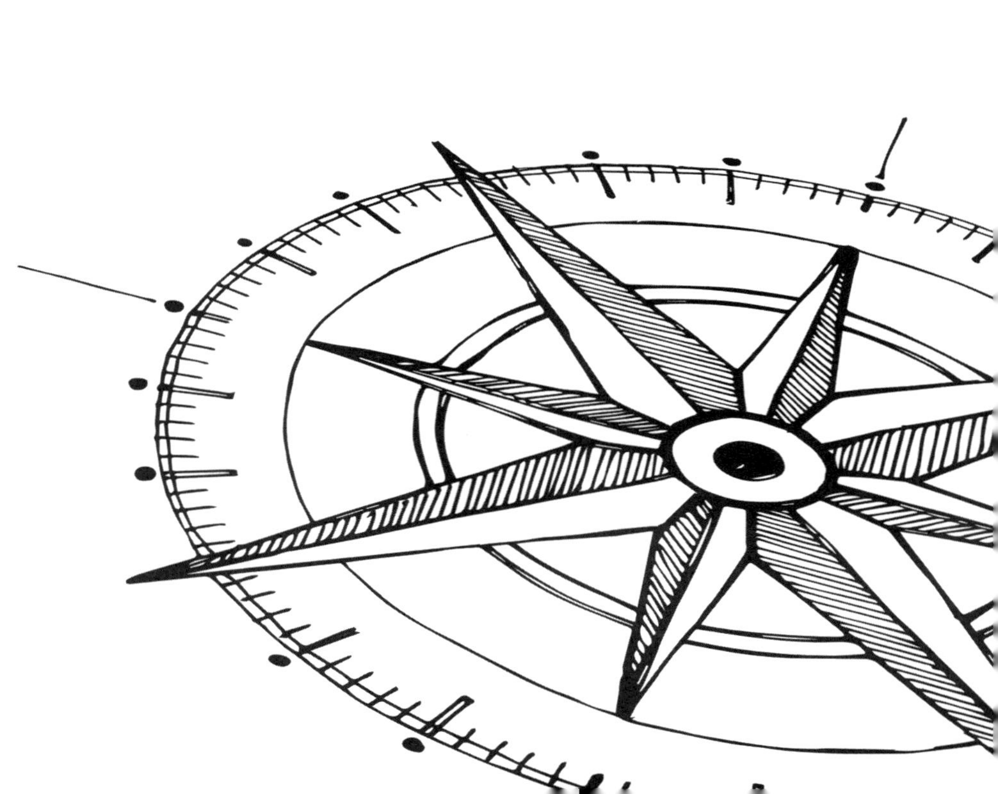

PARTE
II

Como Lidar com o Medo da Desaprovação e Outros Desafios

O Medo da Desaprovação e Outros Desafios

Como o medo da desaprovação e o fato de tentar agradar às outras pessoas estão entre os principais obstáculos que impedem que muitos de nós sigamos a Bússola Interior, vamos examinar minuciosamente esses fenômenos.

No entanto, antes de começarmos, quero afirmar que quando falo a respeito de "viver para agradar aos outros", não estou dizendo que você não deva tratar as pessoas com respeito. E tampouco estou dizendo que não deva apoiar as atividades dos seus amigos e da sua família. Também não estou dizendo que você não deva ser um ser humano amável e compassivo.

Estou me referindo aqui às ocasiões em que dizemos ou fazemos coisas que vão contra nossa integridade (nossa Bússola Interior) por querer agradar os outros ou porque temos medo da desaprovação deles. Estou falando das situações e atividades nas quais desconsideramos nossa Bússola Interior e contrariamos nossa voz interior por querer agradar os outros e evitar críticas. Pode ser nosso parceiro ou parceira, nossos pais, nossos filhos ou amigos — a lista de possíveis pessoas a quem acreditamos poder desagradar é interminável!

Afinal, por que temos tanto medo de desagradar os outros? Por que é tão importante para nós ter a aprovação dos outros? E por que é tão importante para as outras pessoas que façamos o que elas querem que façamos em vez daquilo que sentimos ser certo para nós? Por que elas se importam tanto, e talvez até mesmo fiquem aborrecidas quando dizemos "não" aos seus pedidos ou fazemos algo diferente do que elas acham que "deveríamos" fazer ou querem que façamos? Estes são alguns dos enigmas que examino aqui na Segunda Parte.

Se eu seguir minha Bússola Interior, farei outra pessoa infeliz

Se olharmos um pouco mais de perto, veremos que o medo subjacente que motiva as tentativas de muitas pessoas de conseguir que façamos o que elas querem que façamos (por exemplo, referindo-se a um suposto padrão universal de "certo" ou "errado") é a convicção de que se fizermos o que sentimos ser certo para nós, e como consequência não fizermos o que elas querem que façamos, elas ficarão infelizes. Em outras palavras, consciente ou inconscientemente, elas associaram sua felicidade e bem-estar ao que nós dizemos e fazemos (ou ao que não dizemos e não fazemos).

Então, se esse é o problema — ou seja, se você ou eu, ao seguirmos nossa Bússola Interior, faremos outra pessoa infeliz —, a pergunta é: isso pode ser verdade? Suas escolhas, ou as minhas, podem de fato fazer outra pessoa infeliz?

Para responder a essa pergunta, temos primeiro que recuar um passo e examinar a natureza dessa coisa chamada vida e como a mente funciona. Quando observamos mais de perto o que está acontecendo, descobrimos que o modo de pensar de uma pessoa, ou seja, seus pensamentos e seu sistema de crenças, é a causa da maneira como essa pessoa vive a vida e todos os seus acontecimentos. Assim, quando um acontecimento ou circunstância ocorre e se harmoniza com o que a pessoa acredita ser "certo", "correto", "bom" ou "apropriado", ela "apreciará" ou "aprovará" o que está acontecendo. E quando um acontecimento ou circunstância está em desarmonia com o que a pessoa acredita ser "certo, correto, bom ou apropriado", ela "não apreciará" ou "desaprovará" o acontecimento ou experiência. Desse modo, a reação de cada pessoa se baseia no seu sistema de crenças e no seu modo de pensar.

Quando entendemos isso, também podemos ver que, uma vez que a experiência de cada pessoa se baseia nas suas convicções, cada pessoa é na verdade responsável pelas suas próprias reações e experiência de vida. E isso permanece verdadeiro, quer a pessoa tenha consciência desse mecanismo ou não, porque essa é uma lei impessoal, universal — como a lei da gravidade — que é válida para todos. E a lei é a seguinte: *nosso modo de pensar determina nossa experiência.*

Como essa é a lei da vida, ela também inclui as reações das outras pessoas ao que você e eu dizemos e fazemos, bem como as reações delas ao que você e eu não dizemos ou não fazemos. As reações delas são determinadas pelas convicções e pelo modo de pensar delas, e não pelo que você ou eu efetivamente dizemos ou fazemos.

Portanto, as coisas se desenrolam da seguinte maneira: se uma pessoa acha que algo que você diz ou faz é bom, ela ficará feliz. E se uma pessoa acha que algo que você diz ou faz não é tão bom, ela não ficará tão feliz, ou até mesmo infeliz. Então, o que isso tem a ver com você? A maneira como a outra pessoa reage está totalmente fora do seu controle porque você não pode entrar dentro da cabeça dela e controlar o modo como ela pensa e reage a qualquer coisa.

A felicidade é um assunto interno

Quando compreendemos esse mecanismo básico — de que *nosso modo de pensar determina nossa experiência* — também entendemos que a felicidade ou a infelicidade não resultam de circunstâncias ou eventos externos, e tampouco das escolhas e ações de outras pessoas. Mais exatamente, a felicidade ou a infelicidade resultam da interpretação de cada pessoa sobre o que está acontecendo. Desse modo, percebemos que felicidade ou infelicidade são experiências puramente subjetivas (para mais informações sobre este mecanismo, consulte meu livro *Are You Happy Now? 10 Ways to Live a Happy Life*).

É por isso que eu sempre digo que a felicidade ou a infelicidade é um "assunto interno", porque dependem de como cada pessoa encara e interpreta as situações e circunstâncias que está vivendo.

Este é o mecanismo da mente: *nosso modo de pensar determina nossa experiência.*

É isso que determina a sua experiência e a minha. As coisas acontecem e depois cada um de nós reage de acordo com o nosso sistema de crenças.

As coisas acontecem e reagimos baseados na nossa formação, criação, convicções e na maneira como estamos habituados a pensar e reagir.

Portanto, sua felicidade depende do seu modo de pensar.

E o mesmo se aplica ao seu parceiro ou parceira, seu filho, seus pais e seus amigos. A maneira como eles pensam determina a experiência deles. É por isso que a felicidade é um assunto "interno" — para todos. Não há nenhuma exceção à regra.

Então o que isso tem a ver com seguir nossa Bússola Interior?

Muita coisa, porque muitas pessoas receiam que, se seguirem sua Bússola Interior, tornarão as pessoas ao seu redor infelizes. Elas pensam erroneamente (ou temem) que suas escolhas e seu comportamento irão desagradar aos outros e ser a causa do desprazer ou da infelicidade de outra pessoa. Pode ser seu parceiro ou parceira, seus pais, seus filhos, seus amigos. Mais uma vez, a lista de pessoas que acreditamos que poderão não gostar das nossas palavras e ações é interminável! Mas tudo se reduz ao medo de que se você ou eu fizermos o que sentimos ser melhor para nós, outra pessoa poderá ficar infeliz.

Mas agora que compreendemos o mecanismo da mente, ou seja, que o modo de pensar e o sistema de crenças de cada pessoa determinam sua experiência, podemos enxergar que nossas escolhas não podem de fato tornar outra pessoa infeliz. Isso simplesmente não é possível.

Pessoas diferentes têm reações diferentes diante da mesma situação

Vamos examinar como uma mesma situação pode despertar reações muito diferentes nas pessoas, dependendo de como elas encarem a situação. Eis alguns exemplos concretos:

- *Duas pessoas se divorciam:* o que isso significa? A realidade é que ocorre um divórcio quando duas pessoas que antes viviam juntas agora seguem caminhos separados. Isso é um divórcio. Mas divorciar-se pode significar, e de fato significa, coisas diferentes para pessoas diferentes. Para uma pessoa, o divórcio pode parecer uma tragédia, como se fosse o fim do mundo, de modo que ela pode ficar muito deprimida. Para outra, o divórcio é uma celebração, uma libertação, porque agora ela finalmente não tem que lidar com um relacionamento que não estava dando certo, de modo que agora está alegre e feliz. Em ambos os casos, o acontecimento foi o mesmo — duas pessoas que estavam juntas não estão mais juntas. Mas como elas interpretaram o divórcio de maneiras muito diferentes, elas também tiveram experiências muito diferentes do mesmo acontecimento.
- *Seu chefe lhe pede para dirigir uma força-tarefa que têm como objetivo lidar com uma situação desafiante no seu local de trabalho:* o que isso significa? A realidade é que se trata de

uma tarefa de trabalho. No entanto, mais uma vez, receber uma incumbência como essa pode significar, e de fato significa, coisas diferentes para pessoas diferentes. Para uma pessoa, a tarefa parecerá opressiva e ela ficará muito estressada. Já para uma outra pessoa a incumbência será uma grande honra e um desafio, e ela sentirá uma energia e alegria renovadas no trabalho. Em ambos os casos, o acontecimento foi o mesmo — uma tarefa de trabalho. Mas como as pessoas interpretaram a ocorrência de maneiras muito diferentes, também tiveram experiências muito diferentes do mesmo acontecimento.

- *Seus filhos cresceram e saíram de casa:* o que isso significa? A realidade é que os filhos que um dia moraram em casa não moram mais. Não estão mais presentes. Mas, na verdade, para cada pessoa isso significa uma coisa. Então, mais uma vez, isso depende. Uma pessoa sentirá a partida dos filhos como uma grande perda e sentirá um vazio em sua vida. E, para muitas outras, essa pode ser uma ocasião de grande crise e de um exame de consciência. Enquanto outras poderão apreciar sua recente liberdade e gostar de ter mais tempo para se concentrar nas coisas que nunca tiveram tempo para fazer quando os filhos moravam em casa. No entanto, repetindo, o acontecimento foi o mesmo — os filhos não estão mais morando com os pais. Mas como as pessoas o interpretaram de maneiras muito diferentes, elas também tiveram experiências muitos diferentes do mesmo acontecimento.

Em todos os exemplos anteriores, há um evento — alguma coisa acontece — e depois, como vimos, pessoas diferentes têm ideias distintas a respeito do que esses acontecimentos significam para elas e para suas vidas. E é sempre a nossa interpretação dos acontecimentos que determina nossa experiência e como somos capazes de viver. Portanto, se você acha que o divórcio é horrível, essa é sua experiência. Se você acha que o divórcio é uma verdadeira libertação, então essa é sua experiência. E o mesmo se aplica à nova tarefa no trabalho. Se você acha que não consegue lidar com ela, ficará estressado, e se você ficar encantado por ter recebido o desafio, sentirá uma energia renovada. E assim por diante... O ponto importante a entender aqui é que os diversos acontecimentos não têm intrinsecamente nenhum significado, são apenas as coisas que acontecem na vida. Mas nós conferimos significado a eles devido à maneira como os interpretamos. E o mesmo é válido para tudo o que está acontecendo na nossa vida. Tudo.

Isso se aplica também quando você decide seguir sua Bússola Interior e alguém fica aborrecido. Digamos que você sinta que passar algum tempo sozinho em um fim de semana é algo bom, mas seu parceiro ou parceira se aborrece porque tinha outros planos. Seria essa a única maneira pela qual ele ou ela poderia reagir à sua decisão? Provavelmente não. Pense um pouco a respeito disso. Se dez pessoas diferentes, em dez diferentes relacionamentos, dissessem a seus parceiros que desejam passar algum tempo sozinhas em um determinado fim de semana, cada um desses dez parceiros reagiria exatamente da mesma maneira? Não, é claro que não. Talvez alguns ficassem aborrecidos, mas outros não. Alguns talvez até ficassem felizes por poder passar algum tempo sozinhos! No entanto, em cada caso, a reação de cada pessoa depende dos seus sistemas de crenças e das suas convicções a respeito dos relacionamentos, do mundo e delas mesmas.

Portanto, quando compreendemos a natureza dessa coisa chamada vida, e entendemos que *nosso modo de pensar determina nossa experiência,* também entendemos que a ideia de que você (ou eu) podemos ser responsáveis pela felicidade ou infelicidade de outra pessoa é uma premissa falha. Ela é falha porque não corresponde à realidade, já que é impossível entrar dentro da cabeça de outra pessoa e pensar por ela. O que significa que não podemos nos responsabilizar pelo modo como outra pessoa pensa ou vive a vida.

Mas, infelizmente, a maioria das pessoas ainda não entende esse mecanismo básico. Elas não compreendem que a experiência de cada pessoa é 100% determinada pelos pensamentos e sistemas de crenças dessa pessoa.

E por ainda não entender o princípio básico de que o modo de pensar de uma pessoa determina a sua experiência, a maioria delas continua erroneamente a acreditar que a felicidade das outras pessoas deve depender, de alguma maneira, do que elas dizem ou fazem. Além disso, elas também acreditam que o inverso é verdadeiro, ou seja, que sua própria felicidade depende do que outras pessoas dizem e fazem.

Infelizmente, esse equívoco pode dificultar, ou até mesmo impossibilitar, que muitos de nós escutemos os sinais que estamos recebendo da nossa Bússola Interior. Isso ocorre porque imagine como seria horrível se sua Bússola Interior orientasse você na direção de algo que seu parceiro ou parceira, seus pais ou seus filhos não gostam ou que desaprovam!

Portanto, agora você pode perceber que esse equívoco básico a respeito de quem é responsável pela felicidade de cada pessoa é o motivo pelo qual seus pais (e os meus) nos ensinaram a agradá-los. Essa também é a razão pela qual ensinamos nossos filhos a nos agradar, porque acreditamos erroneamente que as outras pessoas são, de algum modo, a causa do que estamos vivenciando. Acreditamos, portanto, que elas são responsáveis pela maneira como nos sentimos. Acreditamos que as ações delas nos fazem sentir da maneira como nos sentimos e que, por conseguinte, elas são responsáveis pela nossa felicidade.

E também acreditamos no inverso. Acreditamos igualmente que somos responsáveis pela maneira como as outras pessoas sentem e reagem e que, portanto, somos de algum modo responsáveis pela felicidade delas!

Mas, como podemos ver, isso não é verdade.

Portanto, quando você se pegar caindo na armadilha de acreditar que é responsável pela felicidade de outra pessoa (e eu garanto que é muito provável que isso aconteça, porque acontece com todos nós!), lembre-se da lei universal. Lembre-se de que existe essa coisa chamada "realidade" (os eventos e circunstâncias que estão acontecendo na nossa vida) e que existe nosso modo de pensar e a nossa interpretação desses acontecimentos. E que é a maneira como interpretamos esses eventos e circunstâncias que determina nossa experiência, e não o que qualquer outra pessoa está dizendo ou fazendo! (para mais informações sobre esse mecanismo consulte meus livros *Are You Happy Now? 10 Ways to Live a Happy Life*, *The Awakening Human Being — A Guide to the Power of Mind* e *Sane Self Talk — Cultivating the Voice of Sanity Within*).

Mas eu sei que meu parceiro vai ficar aborrecido!

Mas você diz: eu sei que se eu fizer isso ou aquilo meu parceiro vai ficar aborrecido. Sim, é verdade que você sabe que seu parceiro vai ficar aborrecido. Você sabe como ele vai reagir porque conhece os sistemas de crenças dele. Portanto, é verdade, você sabe que seu parceiro vai ficar aborrecido!

Você sabe, por exemplo, que se disser ao seu marido que vai passar o fim de semana com suas amigas em outra cidade ou que vai fazer um retiro de meditação silenciosa durante os próximos dez dias, ele ficará aborrecido se for o tipo de homem que espera que você esteja sempre por perto e disponível para fazer tudo o que ele pedir. Mas o que isso tem a ver com você? Tudo isso nos diz o tipo de homem que ele é, e quais são seus sistemas de crenças. Não tem nada a ver com você. Porque ele também poderia reagir de um modo diferente e dizer: "Que maravilha, querida, espero que você aproveite bastante". Ou poderia dizer: "Isso é ótimo, eu também preciso ficar algum tempo sozinho, de modo que estou feliz por você passar alguns dias fora". Ou, ainda, ele poderia dizer: "Que bom para você, porque de qualquer modo eu estava planejando ir pescar com o pessoal...". Ou ele poderia dizer:

"Faça como quiser!". Portanto, não há limite para a maneira como as pessoas podem reagir ao que você possa dizer ou fazer.

E isso funciona de maneira diversa também. Se você fica esperando que seu parceiro ou parceira aja de um determinado modo para que você possa ser feliz, é você que está abrindo mão do seu poder e tornando outras pessoas (que você não é capaz de controlar) responsáveis pela sua felicidade. De certo modo, é como tomar como reféns as pessoas que você ama! E isso nunca dá certo!

Então como podemos resolver tudo isso? A única maneira é recorrendo à Bússola Interior! Quando sabemos e entendemos que cada um de nós tem uma Bússola Interior e compreendemos que a felicidade é um assunto "interno", fica fácil assumir a responsabilidade pela única coisa que podemos controlar: nossas escolhas e a maneira como reagimos ao que está acontecendo em nós e à nossa volta.

Pegue seu poder de volta!

Portanto, a convicção de que sou responsável pela sua felicidade ou que você é responsável pela minha é, ao que tudo indica, uma das crenças mais desempoderadoras de todo este vasto Universo! Porque isso significa que você e eu estamos abrindo mão do nosso poder e nos tornando vítimas de outras pessoas e de circunstâncias externas, que você e eu não somos capazes de controlar. O mesmo se aplica quando outra pessoa está tentando torná-lo responsável pela felicidade dela, porque essa pessoa está entregando o poder dela para você e se tornando vítima de circunstâncias externas (você), que ela não pode controlar!

Sendo assim, se eu acredito que minha felicidade depende de você, estou entregando para você o poder que tenho sobre a minha vida! E se você acredita que sua felicidade depende do que eu digo ou faço, também está abrindo mão do poder que você tem sobre sua própria vida. Isso acontece porque essa convicção defeituosa diz que você não é responsável por si mesmo e eu não sou responsável por mim! Além disso, ela sugere que você não tem a inteligência nem os recursos necessários para descobrir o que é melhor para você! E ela diz o mesmo a meu respeito se eu entregar meu poder para você ou para outra pessoa qualquer.

Tudo isso é o exato oposto do princípio da Bússola Interior, que consiste sobretudo no autoempoderamento, porque diz que você tem um sistema de orientação interior que está diretamente conectado à Grande Inteligência Universal e que está sempre lhe fornecendo informações claras a respeito do que está em harmonia com você. O que significa que você pode descobrir as coisas sozinho e assumir a responsabilidade por sua própria vida e felicidade!

E essa é realmente uma boa notícia!

Portanto, pegue seu poder de volta e comece a observar quando está desprezando sua Bússola Interior e os sinais que estão vindo de dentro de você, em vez de ficar tentando descobrir o que acredita que precisa dizer ou fazer para tornar as outras pessoas felizes — e depois PARE de fazer isso!

Em vez disso, recorde os princípios deste Universo (releia o início dessa seção) e lembre-se do fato de que a felicidade é um "assunto interno", e que cada ser humano é responsável por sua própria felicidade e por aprender a ficar em sintonia com a Grande Inteligência Universal e com o que ele considera ser melhor e mais apropriado para si mesmo — onde quer que eles estejam nessa coisa chamada vida.

Lembre-se então de que todas as outras pessoas têm uma Bússola Interior e uma conexão direta com a Grande Inteligência Universal... exatamente como você.

E depois escute, novamente, sua Bússola Interior!

As pessoas que estão fora de sintonia querem que você as ajuste

Eis outro aspecto do motivo pelo qual pode ser tão importante para outra pessoa (meu parceiro, minha mãe, meu filho, minha filha, meu amigo, minha amiga) que eu faça o que ela quer que eu faça.

Quando examinamos atentamente o que de fato está acontecendo, quase sempre descobrimos que, quando uma pessoa é muito dependente do comportamento de outra para ser feliz, é evidente que essa pessoa é, de alguma maneira, infeliz ou não realizada na sua vida. Por alguma razão, ela perdeu o contato com sua Bússola Interior e está fora de sintonia com quem ela realmente é. Por conseguinte, a pessoa não está de fato no fluxo, vivendo a vida feliz e gratificante que ela nasceu para viver. Quando isso acontece, uma pessoa com essas características pode se voltar para forças externas, ou outras pessoas, para que elas as ajustem, as satisfaçam e as façam felizes.

Essa confusão surge para muitos de nós porque não compreendemos que temos a nossa própria Bússola Interior e a nossa própria conexão direta com a Grande Inteligência Universal, que está sempre nos guiando rumo à felicidade e à realização que buscamos. Desse modo, quando uma pessoa depende de que outra a ajuste ou a faça feliz, ela sem dúvida não se dá conta disso. Além do mais, ela não compreende que o mal-estar que está sentindo se deve ao fato de ela estar fora de sintonia com o que se harmoniza com sua verdadeira natureza. Em vez disso, a pessoa não raro pensa, erroneamente, que está sentindo esse mal-estar devido ao que outra pessoa está dizendo ou fazendo. Em seguida ela pensa, também erroneamente, que se sentirá bem de novo se conseguir que seu parceiro ou parceira (ou seus filhos, ou sua família) faça o que ela quer. Mas o mal-estar dessa pessoa não tem nada a ver com os outros; ele existe porque ela está fora de sintonia com quem ela realmente é!

Portanto, você pode ver que a coisa toda está esquisita e confusa, porque o oposto é verdade! Quando as pessoas estão em sintonia com quem realmente são e estão vivendo uma vida feliz, realizada e divertida, em geral não se preocupam tanto com o que as outras pessoas estão fazendo ou deixando de fazer, com a vida delas. Alguém que esteja escutando sua Bússola Interior e fazendo boas escolhas é uma pessoa que está no fluxo. A pessoa que está no fluxo é jovial, entusiástica e se diverte — e alguém assim não torna os outros responsáveis pela sua felicidade. Ela sabe que é responsável por sua felicidade e está desfrutando cada etapa da sua jornada.

Padrões arbitrários de comportamento

Quando as pessoas tentam pressioná-lo a fazer o que elas querem que você faça (porque, consciente ou inconscientemente, acreditam que levá-lo a fazer o que elas querem as fará se sentir melhor) em geral elas não fazem isso dizendo: "Minha felicidade depende de você! Se você não fizer o que eu quero, ficarei muito infeliz" (se bem que, na verdade, algumas pessoas possam dizer isso sem rodeios!). Em vez disso, a maioria das pessoas muitas vezes tentará levá-lo a fazer o que elas querem apelando para um padrão de comportamento superior, um padrão arbitrário de "certo" e "errado" para justificar o que estão pedindo. Elas dirão (ou insinuarão) que "simplesmente é assim que fazemos as coisas" na nossa família, no nosso país, no mundo ocidental, se formos bons cristãos, se formos bons judeus, se formos bons muçulmanos etc., etc. O que está implícito aqui é que existe um padrão mais elevado que nós esquecemos, negligenciamos ou não temos a inteligência necessária, como pessoas, para descobrir por nós mesmos, que é mais importante do que qualquer ideia tola que possamos ter sobre o que consideramos ser melhor para nós.

E esse tem sido o caso para muitos de nós. Desde o início da infância, muitos de nós fomos treinados/manipulados por nossos pais, professores, amigos e outras pessoas (todos com boas intenções, é claro) que tentaram controlar nosso comportamento apelando para alguns padrões arbitrários universais de certo e errado, padrões que muitos de nós nunca entendemos de verdade. Mas quer os tenhamos compreendido ou não, desde a nossa infância ficou implícito que há alguns padrões mais elevados, que nós, na nossa imperfeição, precisamos seguir. E como não somos inteligentes o bastante para descobrir isso sozinhos, precisamos ser controlados e cercados por outras pessoas (que aparentemente sabem mais do que nós) que nos mostram a impropriedade do nosso comportamento. E elas fazem isso nos dizendo que nosso comportamento é inadequado, indecente, imoral ou de algum modo inaceitável porque ele não coincide com o padrão que elas seguem (seja ele qual for). Entre aqueles que usam táticas como essa podem estar nossa mãe, nosso pai, nossas irmãs, irmãos, parceiros, outros membros da família, nossos filhos, primos, vizinhos, colegas de trabalho — ou qualquer outra pessoa que lhe venha à mente. Há pessoas assim em qualquer lugar que você olhe. No entanto, em todos os casos, em geral é alguém que não é muito competente em simplesmente pedir o que deseja, dizendo, por exemplo: "Eu preferiria que você..." ou "eu realmente gostaria que você..." e que depois seja capaz de respeitar a sua resposta. Em vez disso, as pessoas que não têm esse comportamento assertivo tentam manipulá-lo para que você faça o que elas querem apelando para um padrão de perfeição arbitrário, superior, ao qual elas dizem que você não está correspondendo.

Infelizmente para nós, a consequência de tudo isso é que se passarmos a acreditar de fato que existem por aí alguns padrões arbitrários superiores de certo e errado, que são mais capazes do que nós de determinar o que é certo ou errado para nós, tornamo-nos alvos fáceis de serem manipulados por outras pessoas [...] o que também torna difícil olhar para dentro de nós, encontrar e seguir os sinais da nossa Bússola Interior.

Para saber a respeito dos padrões arbitrários e sobre como evitar ser manipulado por eles, consulte meus livros *Are You Happy Now? 10 Ways to Live a Happy Life* e *Sane Self Talk — Cultivating the Voice of Sanity Within*.

E se a minha família não gostar?

Então, se a sua Bússola Interior lhe disser algo que contrarie os desejos da sua família, o que você deve fazer?

Desistir do seu sonho? Não dar atenção à sua Bússola Interior? Ranger os dentes e seguir o plano da sua família para você e para sua vida?

É uma boa pergunta, não é mesmo? E é aqui que muitas pessoas acabam se metendo em encrencas, mesmo que saibam no fundo do coração o que querem fazer. Poderia ser, por exemplo, escolher uma carreira que sua família não aprova, ter um relacionamento com uma pessoa do mesmo sexo que o seu, se casar com alguém de uma raça ou religião diferente, largar a escola ou voltar a estudar, mudar de emprego, pedir demissão do seu emprego ou [...] a lista de coisas que você poderia querer fazer e que sua família poderia desaprovar é interminável (tudo depende da sua família e dos sistemas de crenças dela!).

Então, o que você pode fazer?

Se não quiser desistir do seu direito de ser você mesmo e de seguir sua Bússola Interior, é importante recordar tudo o que este livro diz a respeito de você ser você mesmo, de ter o direito de ser você mesmo e de ter uma Bússola Interior que está sempre lhe dizendo o que é melhor para você. E você precisa lembrar a si mesmo que temos a sorte de estar vivendo em sociedades democráticas, que protegem os direitos do indivíduo de viver a vida que ele escolher (para mais informações sobre este assunto, consulte a seção sobre democracia, na página 137). Portanto, reflita repetidamente sobre essas coisas até ter certeza de que compreende os princípios básicos. Lembre a si mesmo de que não é sua função fazer outras pessoas felizes, mas que é sua função seguir a sua integridade e contribuir para que todas as outras pessoas sigam a delas!

E depois [...] uma vez que você tenha lembrado tudo isso a si mesmo, também é importante compreender que é neste ponto que o treinamento da assertividade entra em cena.

Por que o treinamento da assertividade é recomendado? Porque se se encontrar em uma situação na qual outras pessoas discordem de você, das suas escolhas ou dos seus projetos, é importante aprender como cuidar de si mesmo, estabelecer limites saudáveis e dizer não quando alguma coisa não parecer certa para você (para sua Bússola Interior). É nisso que consiste ser assertivo. Ser assertivo significa que você é capaz de cuidar de si mesmo quando outras pessoas interferirem no seu direito de ser você, e de tomar as decisões que considera serem melhores para você. Na realidade, aprender a ser assertivo torna efetivamente muito mais fácil para você seguir sua

Bússola Interior porque você sabe que é capaz de cuidar de si mesmo quando for orientado a fazer uma coisa que as pessoas à sua volta podem não aprovar. Nada ajuda mais a reduzir a ansiedade do que o treinamento da assertividade!

Com relação a isso, também é importante entender que ser assertivo é algo que a maioria de nós precisa aprender a fazer, e depois a praticar. Ser assertivo não é algo que saibamos fazer automaticamente. Não acontece da noite para o dia, embora quase todos nós tenhamos sido naturalmente assertivos quando éramos crianças. No entanto, infelizmente, tivemos nossa assertividade natural esmagada em uma tenra idade, quando nossos pais e o ambiente que nos cerca nos treinaram a viver para agradar aos outros e fazer o que eles queriam que fizéssemos, em vez de seguir nossa orientação interior.

Seus direitos assertivos

Quando se trata de aprender a ser assertivo, um bom lugar para começar é ler e pensar a respeito da lista de direitos assertivos a seguir e que foram delineados por Manuel J. Smith no seu livro clássico sobre assertividade *When I Say No, I Feel Guilty*.

Seus direitos assertivos, ou seja, seu direito de ser você e de viver sua vida do jeito que escolher, incluem:

"Direitos assertivos

1. Você tem o direito de julgar seus próprios pensamentos, emoções e comportamento, e assumir a responsabilidade pelo fato de eles terem surgido, e pelas consequências deles sobre você.
2. Você tem o direito de não apresentar motivos ou desculpas para justificar seu comportamento.
3. Você tem o direito de julgar se é responsável por encontrar soluções para os problemas de outras pessoas.
4. Você tem o direito de mudar de ideia.
5. Você tem o direito de cometer erros — e ser responsável por eles.
6. Você tem o direito de dizer: 'Não sei'.
7. Você tem o direito de não depender da boa vontade dos outros antes de lidar com eles.
8. Você tem o direito de ser ilógico ao tomar decisões.
9. Você tem o direito de dizer: 'Não entendo'.
10. Você tem o direito de dizer: 'Não me importo'.

Você tem o direito de dizer não, sem se sentir culpado."

Quando você começa a compreender esses direitos básicos, o próximo desafio é saber como integrar e aplicar esse entendimento ao lidar com pessoas que estão tentando persuadi-lo, pressioná-lo ou manipulá-lo para que faça o que elas querem que você faça. Vamos então dar uma breve olhada no que fazer.

A "técnica do sanduíche"

Uma boa técnica básica para começar é a "técnica do sanduíche", que é uma maneira positiva e assertiva de responder às exigências das outras pessoas. A técnica do sanduíche consiste em responder aos pedidos ou exigências das pessoas com frases ou declarações, que são formadas por duas partes diferentes.

Na primeira parte da frase, você admite para a outra pessoa que ouviu o que ela disse. Na segunda parte da frase, dá a sua resposta. Em outras palavras, você diz à pessoa o que pensa ou sente a respeito do pedido ou exigência dela (ou seja, como sua Bússola Interior está reagindo à situação).

Desse modo, ao usar a técnica do sanduíche, uma boa resposta assertiva (que é formada por essas duas partes) soa basicamente da seguinte maneira:

- Estou ouvindo o que você está dizendo, mas não compartilho da mesma opinião.
- Eu respeito a sua opinião, e vejo a situação da seguinte maneira...
- Sua amizade significa muito para mim, mas vou ter que recusar sua gentil oferta.
- Entendo o que você está dizendo e isso não é para mim.
- Obrigado por pensar em mim, mas tenho outros planos para o fim de semana.
- Sou realmente grato por você ter pensado em mim, mas tenho outros planos para sábado à noite.

- Percebo que isso significa muito para você, mas vou ter que dizer não.
- Sim, consigo entender o que você está dizendo e, do meu ponto de vista, parece que...
- Obrigado por pensar em mim, eu realmente aprecio seu interesse, mas não quero, obrigado.

Essa é uma maneira inteligente de lidar com o que quer que as pessoas estejam pedindo ou exigindo, porque você começa por reconhecer que está ouvindo a outra pessoa e entende o que ela está dizendo (e até mesmo que aprecia o interesse dela). Depois disso, você dá a sua resposta, ou seja, diz não ou estabelece limites, e segue sua Bússola Interior.

Eis alguns exemplos:

Primeiro exemplo: Você é convidado para uma festa no sábado à noite. Sua Bússola Interior sinaliza um mal-estar, de modo que você decide não ir. Eis sua conversa com o anfitrião.

Anfitrião: "Estamos contando com a sua presença na nossa festa no sábado".

Sua resposta: "Agradeço por pensar em mim, mas já tenho outros planos para sábado à noite".

Anfitrião: "Mas estamos contando com a sua presença".

Sua resposta: "Eu realmente aprecio o fato de você ter pensado em mim, mas não poderei comparecer".

Se a pessoa insistir, você simplesmente continua a repetir o que disse. Mais cedo ou mais tarde, ela desistirá.

Segundo exemplo: Você recebe uma nova oferta de emprego. Sua Bússola Interior não indica um bom pressentimento a respeito disso, e você sente que há algo melhor reservado para você.

Seu amigo/sua mãe: "Eu realmente acho que você deveria aceitar esse emprego. É uma excelente oportunidade para você".

Sua resposta: "Sim, eu entendo o que você está dizendo, mas ele não é para mim".

Seu amigo/sua mãe: "Mas você não consegue perceber que essa é uma grande oportunidade profissional para você? Seria ótimo para a sua carreira".

Sua resposta: "Obrigada pelo seu interesse, mas este emprego não é para mim".

E, reiterando, se a pessoa continuar a insistir você apenas continua a repetir o que já disse até que ela desista.

Quando você aprender a responder assertivamente dessa maneira aos pedidos das outras pessoas, é bom se lembrar de que a outra pessoa provavelmente não concordará com você, e ela não precisa fazer isso. Ser assertivo não consiste em levar a melhor em uma discussão, convencer outras pessoas ou estar certo. Ser assertivo consiste em estabelecer limites e cuidar bem de si mesmo. Não diz respeito a ganhar ou perder. Portanto, esteja disposto a ouvir e reconhecer o ponto de vista da outra pessoa ("você talvez esteja certa") e depois afirme com clareza sua posição ("mas não é para mim").

Lembre-se de que é seu papel prestar atenção à sua Bússola Interior e cuidar de si mesmo em relação ao que está acontecendo. A outra pessoa é responsável pelos sentimentos e opiniões dela a respeito do assunto. Cada pessoa tem o direito de ter seus sentimentos e opiniões. Você não precisa se justificar, dar explicações ou procurar desculpas para suas escolhas. (Talvez você queira explicar, mas o ponto importante a lembrar é que não precisa fazer isso. Você tem o direito de ser quem é e não oferecer nenhuma explicação para suas escolhas).

Portanto, resumindo, eis os principais pontos a ter em mente:

- Reconheça que está ouvindo a outra pessoa.
- Dê sua resposta.
- Use a palavra "e" quando conectar duas partes de uma sentença, pois a palavra "e" é inclusiva.
- Não espere que a outra pessoa concorde com você.
- Não tenha medo de ser repetitiva, de uma maneira amável, porém, firme.
- Você é responsável pelos seus sentimentos e decisões a respeito do assunto.
- A outra pessoa é responsável pelos sentimentos dela a respeito do assunto.

Eis outras boas maneiras de reconhecer o ponto de vista de outra pessoa ao mesmo tempo que mantém seus próprios direitos, posição e ponto de vista. Você pode dizer coisas como:

- Eu entendo que você se sinta dessa maneira, mas na minha experiência constatei que...
- Talvez você esteja certo, mas prefiro dessa maneira...

- Consigo entender seu ponto de vista, mas preferiria não...
- Sou realmente grato pela sua contribuição a respeito desse assunto, mas ainda assim...
- Agradeço por você ter pensado em mim, mas a resposta é não.

Por fim, devo dizer que aprender a dizer não, estabelecer limites e ser assertivo requer prática. Não é uma coisa que alguém aprende a fazer em um ou dois dias; a prática é, de fato, necessária. Pode ser útil no início ensaiar as situações na sua cabeça antes e depois de elas ocorrerem, em especial se você já viveu situações nas quais não reagiu adequadamente de uma maneira assertiva. Experimente viver essas situações na sua cabeça e visualizar como gostaria de lidar com elas na próxima vez que elas aparecerem. Quanto mais você praticar na sua cabeça, mais descobrirá que efetivamente pode agir dessa maneira quando situações semelhantes surgirem no seu dia a dia.

Eis outra dica para os iniciantes. Quando você se vir em uma situação em que for pego desprevenido por alguém com um pedido e não tenha certeza do que sua Bússola Interior está dizendo ou como responder, peça tempo para pensar no assunto.

Peça tempo para pensar

Se você começou a escutar sua Bússola Interior há pouco tempo e está inseguro sobre como se sente a respeito de alguma coisa, pode ser uma boa ideia pedir um tempo para pensar quando alguém lhe pedir para que se comprometa com alguma coisa.

Você pode dizer, por exemplo: "Obrigado por perguntar. Vou pensar a respeito e entrarei em contato". Embora a Bússola Interior esteja sempre nos dando orientação no momento presente, muitos de nós precisamos aprender a escutá-la e segui-la aos poucos. Pedir um tempo para pensar o ajudará de duas maneiras:

1) Isso lhe dá tempo para se aquietar e observar o que sua Bússola Interior está de fato lhe dizendo a respeito dessa pessoa, acontecimento, situação, convite ou possibilidade — se você tem um sentimento de bem-estar ou de mal-estar ou se há outra opção que possa sugerir que sente ser melhor para você.

2) Isso lhe dá tempo para praticar uma resposta assertiva se sua resposta for não e você souber que a outra pessoa poderá ficar aborrecida ou que tentará pressioná-lo a dizer sim.

Vamos então voltar para um dos exemplos anteriores e ver como pedir tempo para pensar funciona:

Primeiro exemplo: Você é convidado para uma festa, mas ainda não tem certeza como se sente a respeito disso.

Anfitrião: "Estamos contando com a sua presença na nossa festa no sábado".

Sua resposta: "Agradeço por pensar em mim; vou dar uma olhada na minha agenda e entrarei em contato com você amanhã".

Anfitrião: "Mas estamos contando com a sua presença".

Sua resposta: "Eu realmente aprecio o fato de você ter pensado em mim e amanhã lhe darei a minha resposta".

Se a pessoa continuar a insistir, apenas continue a repetir o que já disse. Ao adiar sua resposta dessa maneira, você ganha tempo para escutar sua Bússola Interior e depois planejar como irá lidar assertivamente com a situação quando telefonar para a pessoa para dar sua resposta.

Trabalhe a assertividade

Se você acha que ser assertivo é desafiante, sugiro que, além do que expus anteriormente, você compre um bom livro sobre o treinamento da assertividade. Você também pode encontrar mais informações a respeito de como ser assertivo no capítulo 3 do meu livro *Are You Happy Now? 10 Ways to Live a Happy Life* e no meu livro *Sane Self Talk — Cultivating the Voice of Sanity Within*. Depois, comece a praticar essas técnicas de assertividade até aprender que existem maneiras habilidosas de se comunicar com as outras pessoas para que elas compreendam onde estão seus limites. Ser assertivo significa que você pode aprender a dizer às pessoas que tem uma opinião ou plano diferente do delas de uma maneira adequada, firme e ao mesmo tempo simpática. Quando você aprender a fazer isso, quando aprender a arte de ser assertivo, descobrirá três coisas. Primeiro, para sua imensa e duradoura alegria, descobrirá que quando você é assertivo a maioria das pessoas passará a respeitá-lo mais do que respeitava antes. Segundo, você também notará que ninguém morre quando você desafia a vontade da sua família, parceiro, filhos ou colegas. E terceiro, você compreenderá que não precisa o tempo todo da aprovação das outras pessoas para viver uma vida feliz (sim, acredite ou não, é verdade. Você não foi colocado na Terra para agradar à sua família e às outras pessoas, mesmo que isso seja o que elas gostariam que você acreditasse).

Mas, como eu disse, aprender a ser assertivo não é uma coisa que consiga realizar da noite para o dia. Você descobrirá, contudo, que à medida que for se tornando cada vez mais firme ao escutar sua Bússola Interior e ser assertivo, mais fácil será para você interagir de maneiras construtivas e positivas com todos aqueles que você encontrar. Por quê? Porque você terá a profunda certeza interior de que não importa o que alguém possa lhe dizer — você é capaz de descobrir as coisas sozinho porque tem uma Bússola Interior e sabe como ser assertivo e travar um diálogo construtivo e positivo com as pessoas, quer elas concordem ou não com você, com seus pensamentos, com suas decisões ou com suas escolhas.

Quando as pessoas continuam a achar que você está "errado"

Infelizmente, mesmo quando aprendemos a ser assertivos no bom sentido, algumas pessoas continuarão a avaliar nossas escolhas e nosso comportamento como "errados" e começarão a nos dizer como devemos viver a nossa vida. Se isso acontecer — especialmente se acontecer com certa frequência — pode ser proveitoso estabelecer limites saudáveis, com respostas deste tipo:

- Eu sei que sua intenção é boa quando diz que minhas escolhas na vida estão erradas. Essa não é uma maneira construtiva de conversarmos. Para que possamos continuar a ter um bom relacionamento, peço que você se refira respeitosamente às minhas escolhas e ao meu modo de fazer as coisas.
- Eu sei que sua intenção é boa quando me diz como devo viver a minha vida. Essa não é uma maneira construtiva de convivermos, de modo que agradeço se você cuidar da sua própria vida. Se eu quiser sua contribuição ou seus conselhos a respeito do meu estilo de vida, vou pedi-los a você.

E, por fim, se esse tipo de comportamento desrespeitoso e/ou ofensivo continuar, talvez seja interessante que você fique o mais longe possível dessa pessoa ou que até mesmo rompa por completo com o relacionamento.

(Para mais informações a respeito de limites saudáveis, consulte meus livros *Are You Happy Now? 10 Ways to Live a Happy Life* e *Sane Self Talk — Cultivating the Voice of Sanity Within*).

Cuide da sua própria vida

Acabamos de falar sobre como lidar com pessoas que estão tentando "cuidar da sua vida", isto é, pessoas que estão lhe dando conselhos sem que você os tenha pedido, lhe dizendo o que deve fazer ou tentando pressioná-lo a fazer alguma coisa que não lhe parece certa (para sua Bússola Interior).

Mas, sem dúvida, quando se trata de cuidar da própria vida, isso funciona nas duas direções. Portanto, é igualmente importante que você e eu também cuidemos da nossa própria vida e que nos abstenhamos de dar conselhos a outras pessoas, a não ser que elas nos peçam.

Existem duas principais razões pelas quais cuidar da nossa própria vida é a linha de ação mais sábia.

Em primeiro lugar, quando compreendemos o mecanismo da Bússola Interior, entendemos que todo mundo tem uma Bússola Interior e que todo mundo está tendo sua experiência única de vida. Quando entendemos isso, também compreendemos que não podemos de jeito algum saber o que está se passando dentro de outro ser humano. Isso simplesmente não é possível. Não temos acesso a essa informação. Isso significa que você e eu não podemos de modo algum saber o que é melhor para outro ser humano porque não temos contato com a Bússola Interior dele. Portanto, não é possível avaliar o que é melhor para outra pessoa; nós não temos como saber isso. Além do mais, isso desrespeita a inteligência e a capacidade da outra pessoa de descobrir a vida por si mesma.

A segunda razão de por que é tão importante você cuidar da sua própria vida é a seguinte: quando tentamos cuidar da vida de outra pessoa, estamos usando uma grande parte da nossa preciosa energia mental pensando, nos preocupando e/ou tentando (pelo menos mentalmente) controlar outra pessoa. Quando fazemos isso, perdemos o contato com nós mesmos. Perdemos o contato com nossa Bússola Interior e com nosso sistema de orientação interior porque estamos muito ocupados com o que a outra pessoa ou as outras pessoas estão fazendo. Portanto, esse é outro grande inconveniente de você tentar cuidar da vida de outra pessoa: você perde o contato consigo mesmo! Você fica desconectado de si mesmo! E isso conduz aos mais diferentes tipos de problemas, como sentir-se irrealizado e insatisfeito com a sua vida.

Por conseguinte, quando compreendemos isso, torna-se óbvio que cuidar da própria vida é o modo mais sábio de viver. O que também sempre é um grande alívio, porque significa permanecer no seu próprio espaço cuidando bem de si mesmo. Isso também libera muita energia mental e possibilita que você se sintonize com sua Bússola Interior e descubra o que é bom de fato para você. Quando faz isso, você descobre que é capaz de fazer escolhas melhores e mais sábias para si mesmo — escolhas que se baseiam em um conhecimento interior — e dessa maneira descobre que é capaz de viver uma vida mais feliz e se torna uma influência positiva no mundo à sua volta.

Sendo assim, cuide da sua própria vida! Liberte mentalmente todas as pessoas — para seu próprio bem e para o bem delas! Não se intrometa na vida dos outros, a não ser que eles peçam sua ajuda. E acredite que, assim como você, todas as pessoas têm os recursos e a inteligência necessários para descobrir as coisas sozinhas! (Para obter mais informações, consulte o capítulo "Mind Your Own Business" no meu livro *Are You Happy Now? 10 Ways to Live a Happy Life*).

A Bússola Interior e as crianças

Como todo mundo tem uma Bússola Interior, isso significa que as crianças também as têm. Mas o que isso significa, na prática, para os pais e os professores? Como respeitar o fato de que cada criança tem uma Bússola Interior sem deixar que elas se tornem "monstrinhos mimados e mal-educados" ou "pequenos tiranos"? Há muita confusão a respeito disso, de modo que vamos dar uma olhada no que está acontecendo.

Quando temos filhos, é nosso papel, como pais, proporcionar uma base segura para que a criança cresça e se desenvolva. Proporcionar uma base segura inclui fornecer um lar seguro com alimentação, vestuário, educação, cuidados médicos, apoio emocional etc. Tudo isso é tarefa dos pais, e a melhor maneira de fazer isso é criando um lar onde haja claras diretrizes fundamentais, ou regras básicas, quanto à maneira como nós, seres humanos, podemos viver juntos em paz e harmonia, respeitando o direito de cada indivíduo de ser quem ele é. E isso inclui os nossos filhos.

As regras básicas no lar são muito semelhantes às regras do trânsito. O sinal vermelho significa pare, o verde significa siga. Dirigimos à direita neste país (em alguns países, as pessoas dirigem à esquerda). O limite de velocidade na estrada é [...] e o limite de velocidade na cidade é [...]. Todos conhecemos as regras de trânsito e sabemos que se avançarmos o sinal vermelho ou dirigirmos mais rápido do que o limite de velocidade determina poderemos ser multados. Não se trata de gostar ou não dessas regras; elas são apenas as regras básicas com as quais nós, seres humanos, concordamos, e que configuramos para facilitar a maneira como as pessoas podem viver e se deslocar juntas da melhor maneira possível sem viver indo de encontro umas às outras. Portanto, se você for parado por um policial porque estava em alta velocidade, ele não vai perguntar como você se sente em relação a isso ou se gosta da lei. Ele não está interessado no que você gosta ou sente e não se importa com isso; tudo o que ele sabe é que infringiu a lei (as regras básicas). E isso tem consequências.

O mesmo é válido para a criação adequada dos filhos e para as regras básicas da vida tranquila em uma família. E é neste ponto que muitos pais ficam confusos. As crianças não opinam na elaboração das regras básicas; isso é função dos pais. E as crianças não precisam gostar das regras básicas; elas só precisam saber que elas existem e compreender que haverá consequências se não seguirem ou se infringirem as regras básicas.

Isso não tem nada a ver com deixar ou não deixar as crianças sentirem suas emoções, e tampouco tem a ver com respeitar o fato de que toda criança possui uma Bússola Interior. Quebrar as regras básicas e sofrer as consequências é uma coisa. Sentir suas emoções é outra. Assim, quando uma criança quebra uma regra básica, isso tem consequências quer ela goste ou não disso. Os pais muitas vezes ficam confusos em relação a isso e querem que seus filhos "gostem" de seguir as regras básicas ou "se sintam bem" com a ideia de segui-las e as consequências de quebrá-las. Mas isso não é possível. É impossível esperar que as crianças sempre "gostem" de seguir as regras básicas ou "se sintam bem" por segui-las. E é aqui que os pais ficam confusos. As crianças podem não gostar das regras básicas de vez em quando e isso é bastante aceitável. Os pais psicologicamente amadurecidos compreendem isso e são capazes de dizer: "Eu sei que você não está com vontade de lavar as mãos antes do jantar, mas é assim que as coisas funcionam nesta casa. Quando crescer e tiver a sua própria casa, poderá decidir fazer as coisas do seu modo, mas, enquanto morar debaixo do nosso teto, terá que respeitar a maneira como fazemos as coisas por aqui".

Os pais não estão respeitando o direito dos filhos de ser quem são, de sentir seus sentimentos e os sinais da sua Bússola Interior quando tentam impedi-los de sentir o que estão sentindo. Sendo assim, é importante distinguir entre o que são as regras básicas e a maneira como as crianças se sentem em relação a segui-las porque se trata de duas coisas diferentes. Portanto, se uma criança não gosta de uma regra básica, esse é um direito e privilégio dela como ser humano porque é assim que ela se sente. Mas isso não tem nada a ver com seguir as regras básicas. Uma criança pode não gostar de uma regra básica o quanto quiser, mas tem que segui-la, caso contrário haverá consequências. É simples assim.

Portanto, a mensagem clara dos pais para a criança deverá ser: "Esta é a regra básica a respeito deste assunto nesta família, quer você goste dela ou não, e independentemente de como você se sente a respeito dela. Se quebrar a regra básica, as consequências serão...".

A confusão surge quando os pais querem controlar como a criança se sente a respeito das regras básicas e das diversas situações, porque neste caso a mensagem dos pais para a criança é a seguinte: *Você não deveria estar "sentindo" o que está sentindo. Você deveria se sentir como eu quero que você se sinta. Você deveria ficar feliz e gostar de uma coisa porque eu quero que seja assim.*

Isso é abuso emocional da parte dos pais porque eles estão dizendo à criança que ela não tem o direito de sentir o que está sentindo. Os pais estão basicamente dizendo à criança o que ela "deveria" sentir. Este é um comportamento desrespeitoso por parte dos pais.

O comportamento respeitoso da parte dos pais diz o seguinte: "As regras básicas nesta casa são que lavamos as mãos antes do jantar e escovamos os dentes antes de ir para a cama à noite". A criança pode gostar disso ou não, mas estas são as regras, que funcionam como as regras de trânsito. E cabe aos pais, não às crianças, definir as diretrizes e criar as regras básicas para o lar. A casa onde as crianças estão crescendo não é uma democracia. É tarefa da mãe e do pai decidirem quais são as regras básicas para que todos vivam juntos e em harmonia, mas é só isso!

Isso não é o mesmo que dizer que os pais escolhem o caminho da criança na vida. Em outras palavras, não é função dos pais escolher as matérias que a criança gosta mais na escola, com quem ela gosta de brincar, as atividades esportivas que ela prefere, com quem ela quer fazer amizade, que tipo de livros ela mais gosta de ler e como ela se sente frente a uma série de coisas e situações. Cada criança tem uma Bússola Interior que a está guiando naturalmente em direção ao que ela sente ser melhor para si mesma. E, sem dúvida, à medida que as crianças vão crescendo, os pais sensatos respeitam a inteligência dos seus filhos e a capacidade deles de fazer essas escolhas por si mesmos. (O pai sensato tentará explicar para seus filhos que tudo tem consequências, mas isso não é o mesmo que tentar controlar as escolhas e preferências de uma criança.) Isso também significa que quando as crianças se tornam adolescentes, não cabe aos pais decidir quem elas vão namorar, a carreira pela qual elas se sentem atraídas, com quem elas podem querer se casar etc. Tudo isso é função do jovem adulto. E quando as crianças amadurecem e se tornam adolescentes e jovens adultos, os pais sensatos as encorajarão a encontrar e seguir sua Bússola Interior quando a questão for a descoberta do que é melhor para elas e de encontrar seu caminho na vida.

A sedução do *glamour*, da fama e do sucesso

O medo da desaprovação e o fato de nos sentirmos responsáveis pela maneira como outras pessoas se sentem não são as únicas razões pelas quais pode ser tão difícil para muitos de nós seguir a Bússola Interior. Há outros motivos pelos quais as pessoas se desviam do seu sistema de orientação interior. Em um mundo em que há tanto *glamour* e no qual estamos constantemente *on-line,* comparando-nos o tempo todo com as outras pessoas, pode ser fácil nos desviar do nosso rumo e perder o contato com a nossa integridade. Isso pode acontecer quando nos encantamos com o *glamour* de coisas como:

- Fama
- Sucesso
- Dinheiro
- Popularidade
- Reconhecimento
- Ter uma boa aparência
- Sexo
- Bens materiais
- etc.

Pode ser muito difícil resistir à sedução de coisas como essas, e isso não deve ser subestimado. Já trabalhei com pessoas (jovens, maduras e idosas) que não deram atenção à sua Bússola Interior por uma ou várias das razões discutidas antes. O resultado sempre foi o mesmo. Elas perderam o contato com sua integridade e se desviaram tanto do rumo na sua vida que muitas vezes acabaram em algum tipo de situação de crise.

Ao trabalhar com pessoas assim, descobri que elas em geral descobrem — quando examinam mais a fundo o que está acontecendo na sua vida — que desejavam tão desesperadamente sucesso, fama, dinheiro ou popularidade que desprezaram a própria integridade e os sinais da sua Bússola Interior. Como resultado, acabaram enfrentando os mais diferentes tipos de problemas e, no final, estavam com dificuldade para viver consigo mesmas.

Então, repetindo, para viver uma vida feliz e satisfatória, é muito importante compreender que você tem uma Bússola Interior que está lhe fornecendo todas as informações necessárias para percorrer um caminho saudável e feliz e enfrentar os desafios que você encontra no dia a dia. E entender também que as consequências de se comparar constantemente com o que as outras pessoas estão dizendo e fazendo a ponto de desconsiderar os sinais da sua Bússola Interior podem ser, no mínimo, muito penosas!

Autorreferência ou referência extrínseca?

Outra maneira de examinar e entender esse mecanismo é compreender a diferença entre a "autorreferência" e a "referência extrínseca".

Quando você tem autorreferência, seu ponto de referência é dentro de você. Seu ponto de referência é sua Bússola Interior, que é sua ligação direta com a Grande Inteligência Universal. Algumas pessoas poderão chamar isso de conexão, sua conexão com seu Verdadeiro Eu, que *é* a Grande Inteligência Universal! Portanto, quando você tem autorreferência, seu processo de tomada de decisões se baseia na sua Bússola Interior, que é sua conexão com seu Verdadeiro Eu e a Grande Inteligência Universal.

Infelizmente, no caso de muitas pessoas, o ponto de referência são outras pessoas e as crenças, opiniões, preferências e antipatias em constante transformação delas. E é isso que eu quero dizer com "referência extrínseca". A referência extrínseca ocorre quando você se volta para outras pessoas para obter orientação no seu processo de tomada de decisões em vez de olhar para dentro de si e seguir sua Bússola Interior e sua conexão com a Grande Inteligência Universal. Quando ocorre a referência extrínseca, suas reações se baseiam em como você acredita, ou supõe, que outras pessoas irão reagir a você e ao que você está dizendo ou fazendo. E como você pode querer evitar a desaprovação dos outros a todo custo, talvez também despreze os sinais que está recebendo da sua Bússola Interior. É isso que acontece quando nossa necessidade de aprovação prevalece sobre nossa capacidade de ter autorreferência. E como já vimos, o ônus emocional e físico desse tipo de comportamento pode ser bastante prejudicial a longo prazo.

É por isso também que as práticas espirituais como a meditação e os estudos espirituais podem ser muito úteis, porque fortalecem nossa capacidade de nos voltarmos para dentro, seguir nossa Bússola Interior e entrar em sintonia com nosso Verdadeiro Eu e a Grande Inteligência Universal, que criou todos nós e o Universo inteiro.

Diferença entre "autorreferência" e "referência extrínseca"

Quando em busca de orientação

Autorreferência	**Referência extrínseca**
Olha para dentro de si, para a Bússola Interior	Olha para fora, para os outros

Quando em busca de pistas sobre como se comportar e o que dizer

Olha para dentro de si, para a Bússola Interior	Olha para fora, para os outros

Quando querendo saber como reagir a desafios e diferentes situações

Olha para dentro de si, para a Bússola Interior	Olha para fora, para os outros

Quando inseguro sobre o que comer, vestir, postar no Facebook, aonde ir nas férias etc.	
Olha para dentro de si, para a Bússola Interior	Olha para fora, para os outros
Quando querendo saber como reagir a uma questão política ou social	
Olha para dentro de si, para a Bússola Interior	Olha para fora, para os outros

O poder de duas ou mais pessoas em sintonia

Vivemos em um Universo governado por leis, e uma das leis ou princípios básicos do Universo é "os semelhantes se atraem". (Para saber mais a respeito dessas leis, consulte meus livros *The Awakening Human Being — A Guide to the Power of Mind* e *Fast food para a alma*).

Essa lei universal — de que os semelhantes se atraem — governa tudo na nossa vida, inclusive o tipo de pessoas que atraímos para ela. O interessante neste caso é que quanto melhor é a sua energia, e quanto mais você escutar sua Bússola Interior e estiver em sintonia com a Grande Inteligência Universal, mais atrairá para sua vida pessoas que também têm uma boa energia e que também estão em sintonia com a Grande Inteligência Universal. Portanto, este é de fato um fenômeno interessante a ser compreendido e notado, porque quando duas ou mais pessoas que estão em sintonia com a Grande Inteligência Universal se reúnem e juntam forças, elas criam uma experiência realmente poderosa! Realmente poderosa, realmente produtiva — e também muito divertida!

A combinação de energia, do fluxo, da criatividade e da alegria de duas ou mais pessoas que estão em sintonia com a Grande Inteligência Universal é sem dúvida uma potência e uma força incrível para o bem no mundo. Isso acontece porque quando pessoas assim se reúnem, o resultado é maior do que um relacionamento de um mais um. Na realidade, há um fator exponencial envolvido aqui, o que torna extremamente poderosa a energia e a influência de duas ou mais pessoas com alta energia que se reúnem. Este fenômeno é chamado por vários professores de grupo "Master Mind"* ou conceito "Master Mind". (Discuto este assunto no meu livro *Fast food para a alma,* no capítulo intitulado "O Poder dos Amigos").

Este fenômeno se aplica a todos os tipos de relacionamentos, quer estejamos falando de parceiros de negócios, amigos, casais, colegas, equipes esportivas, equipes de negócios, grupos artísticos, movimentos políticos e sociais etc. Houve muitos exemplos disso ao longo da história humana, como os "Pais Fundadores"** dos Estados Unidos, cujas poderosas novas ideias iriam mudar o rumo da história humana. Entre outros bons exemplos estão Peter e Eileen Caddy, fundadores da Findhorn Community, na Escócia, os Inklings — o grupo de escritores de Oxford que incluía JRR Tolkien e CS Lewis —, Jesus Cristo e seus discípulos, Buda e seus discípulos, grupos artísticos ou parcerias como os Beatles ou entre Henry Miller e Anais Nin. Isso sem falar nos grupos internacionais de Doze Passos e a poderosa dinâmica que procede deles quando se

---

* Também chamado no Brasil de "Mente Mestra". (N. dos trads.)

** "Founding Fathers", no original. (N. dos trads.)

trata de curar vícios com os quais, de outra maneira, é difícil lidar.

O que a Bússola Interior diz?

Problemas com meu chefe

Meu chefe está sempre atrasado para as reuniões, e isso está incomodando a mim e os outros funcionários, mas eu não digo nada porque ele é meu chefe. Quanto mais eu penso no assunto, mais sinto estresse e um mal-estar interior. Constato que estou quase começando a odiar esse homem. Um dia, então, fico tão furiosa com meu chefe que decido me manifestar. *Mas o que a Bússola Interior diz?* No momento em que eu penso a respeito de pedir ao meu chefe para chegar às reuniões na hora e respeitar a mim e os outros funcionários, eu me sinto muito melhor, embora isso possa significar que eu vá perder meu emprego.

Casamento

Um bom amigo estava prestes a se casar pela segunda vez. Algumas semanas antes do casamento, ele conheceu outra mulher e se encantou por ela. Sua intuição lhe disse para cancelar a cerimônia, porque quando ele pensava no casamento que estava próximo sentia um grande mal-estar. Mas ele não seguiu sua Bússola Interior por sentir que não poderia desapontar todas as pessoas envolvidas e porque tinha receio de fazer sua noiva sofrer. Sendo assim, ele seguiu adiante com o noivado e se casou. Mas depois do casamento — na verdade desde o início — as coisas não deram certo. Meu amigo tentou de fato ficar bem e animado com a esposa [...] mas isso não funcionou. E então [...] depois de algum tempo ele começou a ter um caso com a outra mulher. Ele simplesmente não conseguiu evitar. Como você pode imaginar, ele por fim acabou tendo que contar à esposa como se sentia e eles se divorciaram. Depois de algum tempo, ele se casou com uma mulher que realmente amava e os dois estão felizes e juntos, há muitos anos.

O ímpeto e como aprender a usar a Bússola Interior

Então você agora já leu a maior parte deste livro e começou a tentar ficar atento à sua Bússola Interior e observar como você de fato se sente a respeito do que está acontecendo na sua vida. No entanto, por mais que você tente, também está descobrindo que nem sempre é fácil fazer isso. Por quê? Por que uma coisa aparentemente tão simples, como notar os sinais da sua Bússola Interior, pode às vezes ser tão difícil de fazer?

A resposta a esta importante pergunta é que quando se trata de aprender a usar sua Bússola Interior, pode ser muito difícil mudar seus antigos hábitos mentais e seu comportamento habitual (como se preocupar com o que as outras pessoas podem estar pensando a seu respeito) porque esses antigos hábitos mentais adquiriram um grande ímpeto ao longo do tempo. E com a palavra ímpeto estou me referindo à velocidade ou à quantidade de energia por trás desses modos de pensar habituais. É importante compreender que, dado que temos praticado esses modos de pensar e esse comportamento defeituoso desde a infância, o ímpeto por trás deles vem aumentando ao longo dos anos, o que pode tornar esse comportamento hoje muito poderoso — e difícil de mudar.

Você pode entender mais facilmente o que está acontecendo se pensar ou visualizar a questão da seguinte maneira: seus modos de pensar e comportamento habituais são como o Titanic — que é um navio enorme. E com isso quero dizer que seus hábitos mentais, ou padrões de pensamentos e respostas condicionadas, são como um navio grande que está navegando em uma certa direção. Além disso, esse navio está avançando muito rápido porque tem muita potência, de modo que adquiriu um forte ímpeto. Além disso, seu navio está rumando na direção que você vem seguindo por anos e anos.

Um dia então você descobre a Bússola Interior e decide que quer mudar seu curso. Você deseja alterar a direção que está seguindo. Você quer mudar seus hábitos mentais e parar de se concentrar no que as outras pessoas possam estar pensando a seu respeito e começar a se concentrar mais sistematicamente na sua Bússola Interior e no que está acontecendo dentro de você. Em resumo, você deseja mudar a direção do seu modo de pensar e navegar na direção oposta. Sendo assim, você decide fazer uma tentativa, mas descobre que não é fácil fazer isso porque seus antigos padrões de pensamento e comportamento (respostas condicionadas) parecem entrar em ação o tempo todo.

Isso pode fazer com que você se sinta desanimado e possa até mesmo pensar que é impossível mudar a direção dos seus pensamentos. É neste momento que é muito importante relembrar o que está acontecendo aqui. Recordar que o problema é o *ímpeto*. E aqui a imagem do Titanic poderá ajudá-lo, porque é como se você quisesse repentinamente fazer esse navio gigantesco, o Titanic (ou seus padrões de pensamento habituais), dar meia-volta e navegar na direção oposta. Isso simplesmente não pode ser feito. Todo mundo sabe que não é possível fazer um navio do tamanho do Titanic dar meia-volta e navegar na direção oposta. Isso é simplesmente impossível.

Mas todos também sabemos que *é possível* fazer um navio do tamanho do Titanic dar meia-volta aos poucos. Em outras palavras, embora você não possa fazer um navio grande dar meia-volta instantaneamente, você pode fazer isso e mudar a direção que o navio está seguindo, pouco a pouco. E é exatamente assim que as coisas funcionam quando se trata de mudar a maneira como você pensa, as suas respostas condicionadas e seu comportamento habitual. Você não pode mudar radicalmente seus pensamentos, de uma hora para outra. Isso não é possível porque você tem um ímpeto muito grande indo na direção dos seus antigos padrões de pensamento. No entanto, por meio de um treinamento mental regular e persistente, você pode, pouco a pouco, dia após dia, praticar novos padrões de pensamento.

E é neste ponto que entra o Treinamento Mental.

Treinamento Mental

Chamo o ato de aprender a mudar os padrões de pensamento habituais de Treinamento Mental. Eu o chamo de Treinamento Mental porque mudar a direção dos pensamentos exige muito empenho, disciplina e prática.

A realidade é que o Treinamento Mental é exatamente como qualquer outro tipo de treinamento e prática. Você precisa começar aos poucos e mantê-lo durante dias, semanas, e até mesmo meses, até desenvolver um ímpeto suficiente na nova direção para poder de fato alterar a direção dos seus pensamentos. (Para mais informações sobre o Treinamento Mental, consulte meus livros *The Road to Power — Fast Food for the Soul, The Awakening Human Being — A Guide to the Power of Mind* e *The Mental Laws*).

O Treinamento Mental é como aprender a tocar piano ou treinar para correr uma maratona. Você não se senta no piano e toca de repente como um pianista de concerto. E tampouco vai para as ruas e corre uma maratona! Para tocar como um pianista de concerto ou correr uma maratona você precisa começar aos poucos e desenvolver sua prática. Quando se trata de correr, por exemplo, primeiro você precisa começar a correr distâncias curtas e depois distâncias cada vez mais longas. Todo mundo sabe disso. Todo mundo entende que é preciso primeiro desenvolver força e resistência, e ir aumentando gradualmente a distância que você consegue de fato correr — sobretudo se você deseja correr uma maratona. Você não pode decidir que vai fazer isso de uma hora para outra. Mas se perseverar, se continuar a correr, um dia você poderá ser capaz de correr uma maratona! Mas isso não acontece da noite para o dia! Pelo contrário, requer muita prática e dedicação — e leva tempo. E o mesmo se aplica à mudança dos seus hábitos mentais; isso requer muita prática, disciplina e dedicação — e leva tempo!

Mas o esforço por certo vale a pena — sobretudo quando se trata da Bússola Interior, e você compreende que quanto mais for capaz de deixar de se preocupar com o que outras pessoas possam estar pensando e retornar à sua Bússola Interior, mais fácil será para você se voltar para dentro de si e sentir o que é melhor para você.

A chave é a conscientização

Agora que compreende o mecanismo e percebe como pode ser difícil modificar os padrões habituais de pensamento e de comportamento, você também pode entender que não faz sentido condenar-se ou dizer que é um "fracassado" porque não consegue mudar neste exato momento a direção dos seus pensamentos e colocar em prática, da noite para o dia, todo este entendimento.

Em vez disso, uma ideia melhor é elogiar a si mesmo pela sua crescente conscientização do mecanismo e dos princípios. Teça elogios a si mesmo pelo seu novo entendimento da Bússola Interior, porque é impossível mudar qualquer coisa sem você estar consciente do que está acontecendo!

É muito importante entender e lembrar que a chave é a conscientização!

Lembre-se repetidamente que antes de ser capaz de fazer qualquer mudança substancial genuína no seu modo de pensar e na sua vida, você precisa entender o mecanismo e os princípios envolvidos. Sendo assim, é crucial que você tenha em primeiro lugar entendimento e conhecimento básicos de todo o princípio da Bússola Interior antes que possa acontecer qualquer mudança no seu modo de pensar e no seu comportamento. Em seguida, compreenda que, ao entender o princípio da Bússola Interior e pensar a respeito dele, você está na verdade iniciando o processo de mudança.

Portanto, releia o início deste livro. Recapitule várias vezes o princípio básico da Bússola Interior até estar bem certo de que o compreende. Em seguida, tome a decisão de fazer repetidamente o exercício da Bússola Interior da página 31. Tome a decisão de tentar se concentrar na sua Bússola Interior no decorrer do dia. E depois ponha mãos à obra e entenda que observar o que você está fazendo ao longo do dia é a melhor maneira de começar. Procure se concentrar na sua Bússola Interior e nos seus sentimentos, e depois observe onde estão seus pensamentos. Quando você descobrir que está se preocupando com o que outras pessoas possam estar pensando ou dizendo a seu respeito ou sobre a situação em questão, apenas afaste seu foco desses assuntos e concentre-o em você. Volte a atenção para si mesmo, interiorize-se e escute o que sua Bússola Interior está lhe dizendo a respeito do que quer que esteja ocorrendo.

Apenas note o que você está de fato sentindo.

Repare o que está acontecendo dentro de você.

Observe se a situação lhe confere uma sensação de bem-estar ou de mal-estar. E seja sincero sobre o que descobrir. Não tente censurar seus sentimentos por achar que "deveria" estar se sentindo de uma determinada maneira, mas não está! Você não precisa fazer nada; apenas observe e conscientize-se do que está acontecendo!

Em seguida, parabenize-se e diga: é maravilhoso que eu esteja despertando e que minha autoconsciência tenha aumentado tanto! Consigo enxergar de fato o que está acontecendo e perceber sinceramente o que estou sentindo.

O processo não tem fim

Também é importante lembrar que encontrar e seguir a Bússola Interior é um processo que não tem fim. Além de não acontecer de modo súbito, ele é um processo permanente e contínuo de observação e reajustamento. Observar e reajustar. E ele continuará pelo resto da sua vida, porque a Bússola Interior é algo que acontece a cada hora, a cada minuto — e consiste em apenas notar o que a Bússola Interior está dizendo. A resposta da Bússola Interior à vida é um indicador fluido, que sempre se renova, do qual você aos poucos se torna cada vez mais consciente. Portanto, é uma história sem fim, assim como a vida. Um processo constante de crescimento e evolução.

Quando você entende e domina o processo, pode efetivamente começar a se divertir cada vez mais, porque sabe que aonde quer que vá e o que quer que aconteça, você tem uma Bússola Interior que está conectada à Grande Inteligência

Universal e que está sempre orientando-o e fornecendo-lhe as informações de que você precisa para fazer escolhas cada vez mais sábias! Tudo o que você tem que fazer é se sintonizar!

Então, estamos de volta ao início e a grande pergunta é: você está escutando sua Bússola Interior agora? Está sintonizado? Você compreende que suas emoções são importantes e estão sempre lhe fornecendo informações claras e valiosas a respeito do que é melhor para você? E se a resposta for sim — bem, então, que maravilha! Isso significa que você está aprendendo a cuidar melhor de si mesmo! Significa que você pode ser mais fiel a si mesmo e estar mais em sintonia com quem você realmente é, o que também significa que você pode ser uma força muito maior para o bem neste mundo!

Portanto, aleluia para a Bússola Interior!

O que a Bússola Interior diz?

Tentando arduamente encontrar uma solução

Estou em uma situação desafiante e não paro de tentar encontrar uma solução para os problemas que estou enfrentando. Mas quanto mais eu penso a respeito deles, quanto mais eu me esforço, pior eu me sinto. De repente, tenho uma ideia: e se eu simplesmente desistir e abandonar tudo por algum tempo? *O que a Bússola Interior diz?* No momento em que eu paro de me esforçar tanto para resolver as coisas, sinto um alívio instantâneo.

Devo pedir demissão do meu emprego?
Eu realmente tenho vontade de ser agente de cura e me dedicar a essa atividade em tempo integral — e pedir demissão do meu emprego. Ao mesmo tempo, crio sozinha meus dois filhos. *O que a Bússola Interior diz?* A ideia de pedir demissão do meu emprego me causa um forte mal-estar, de modo que decido não fazer isso. Mas continuo a querer praticar a arte da cura, de modo que começo a usar minhas noites livres para oferecer sessões de cura para os amigos e a família. Quando faço isso, tenho um forte sentimento de alegria e satisfação.

Um impulso repentino
Vou ao centro da cidade comprar jeans e sapatos, e já planejei de antemão meu roteiro e as lojas que pretendo visitar. De repente, tenho um impulso de ir a uma antiga cafeteria perto do porto. No entanto, minha mente diz que não, que eu não tenho tempo e que é fora do caminho. Mas o impulso é muito forte, e quando penso nele eu me sinto muito bem. Desse modo, sigo minha Bússola Interior e vou até lá. E adivinhe o que acontece? Enquanto estou sentada nessa antiga cafeteria tomando uma xícara de café, encontro o amor da minha vida!

EPÍLOGO

A Bússola Interior e a Evolução Humana

Democracia — A Forma Mais Elevada de Governo

O entendimento de que cada pessoa tem sua conexão com a Grande Inteligência Universal também é a base do nosso estilo de vida democrático.

A democracia é um sistema social baseado no direito de cada indivíduo de ser quem ele é. Todas as sociedades democráticas baseiam-se na ideia de respeitar o direito do indivíduo de viver a vida como ele achar melhor — desde que ele não interfira no direito dos outros de viverem a vida como acharem que é melhor. Então, como você pode ver, este sistema de governança tem como base o entendimento de que cada pessoa é única e tem uma ideia do que sente ser melhor para si, tendo também acesso a esse sentimento. Em outras palavras, cada pessoa tem um conhecimento interior ou uma "Bússola Interior" que está, em todos os momentos, guiando essa pessoa em direção ao que é melhor para ela em todo e qualquer momento considerado.

Os idealizadores da Declaração da Independência dos Estados Unidos compreendiam isso e sabiamente escreveram, em 1776:

> *Consideramos essas verdades como evidentes por si mesmas, que todos os homens são criados iguais, dotados pelo Criador de certos direitos inalienáveis, entre os quais estão a vida, a liberdade e a busca da felicidade.*

Todas as leis nas nossas sociedades democráticas são tentativas de regular as interações entre as pessoas com base nesse conceito de liberdade, para que cada um de nós respeite os direitos dos outros enquanto tentamos viver a vida da maneira como cada um achar melhor. Naturalmente, às vezes isso pode ser muito difícil e desafiante, e é também por esse motivo que vivemos em sociedades baseadas em leis. Todas as nossas leis são tentativas de regular essa interação da maneira mais imparcial e justa possível.

Em resumo, poderíamos dizer que em uma sociedade democrática você tem o direito de ficar de ponta-cabeça o dia inteiro se isso parecer certo para você, desde que você não interfira no meu direito de ficar de ponta-cabeça o dia inteiro, se isso for o que eu sinto ser melhor para mim. Sendo assim, essa é uma liberdade de mão dupla, que possibilita que vivamos o mais livre e plenamente possível ao mesmo tempo que respeitamos os direitos do nosso próximo de viver a vida dele o mais livre e plenamente que ele puder, e como achar melhor.

Lamentavelmente, no meu trabalho como terapeuta e *coach*, descobri que, embora vivamos em sociedades chamadas de "democráticas", muitas pessoas nas famílias e nos relacionamentos de casais não respeitam os direitos dos seus respectivos membros de viver a vida como pensam e julgam ser melhor. E além de isso ser algo extremamente desrespeitoso, também é a causa de muita desarmonia e abuso em muitas famílias e relacionamentos. Desafortunadamente, esse comportamento equivocado é causado por uma ausência fundamental do entendimento de que cada pessoa é uma criação única e tem uma Bússola Interior, que está sempre guiando-a em direção ao que ela sente ser melhor e mais harmonioso para si.

Desse modo, a ideia de consenso — por mais bonita que possa parecer na teoria — não pode de fato funcionar nas famílias se não houver em primeiro lugar um profundo entendimento e respeito pelo fato de que cada membro individual da família tem uma única trajetória para o seu destino, que se baseia nas informações que ele está recebendo da Grande Inteligência Universal por meio da sua Bússola Interior.

É importante lembrar que não existe uma maneira "certa", um "tamanho único" para todos os membros de uma mesma família. As famílias, assim como as sociedades, têm muitas facetas e estão em constante transformação.

Consenso ou mentalidade de rebanho?

Também é interessante notar que, desde uma tenra idade, as crianças na escola são muito influenciadas ou guiadas (ou desorientadas) pela pressão dos colegas ou pelo poder do grupo. O anseio de ser amado e aceito, o medo de ser desprezado, criticado ou ridicularizado é tão grande na maioria delas que é preciso muita coragem para que uma criança ou um jovem pense, seja, pareça ou aja "de uma maneira diferente", distinga-se da multidão ou do rebanho. E quando combinamos isso com o fato de que a maioria das crianças não aprendeu com seus pais que elas têm o direito de ser quem são e de seguir sua Bússola Interior, é fácil compreender como a pressão do grupo pode se tornar ameaçadora e transformar-se em um "cerco" ou em *bullying*, com todos os danos psicológicos e emocionais resultantes disso.

Quando nos aprofundamos um pouco mais, descobrimos que o que está acontecendo hoje com as crianças é uma consequência lógica do que elas aprenderam com os pais, porque a realidade é que a maioria dos pais também tem muito medo de ser diferente, de não viver à altura do que percebe ser a maneira "certa" de se mostrar, agir ou viver no seu grupo particular — o que poderia resultar em serem criticados, julgados, ou, pior ainda, excluídos ou marginalizados pelo rebanho (a tribo, o grupo, a família). Portanto, como os pais podem ensinar os filhos a respeitar o direito de cada indivíduo de ser quem ele é e de escutar sua Bússola Interior, se os próprios pais estão inseguros ou receosos demais para fazer isso?

O problema básico aqui é a deformação ou ignorância dos princípios básicos a respeito dos quais estou escrevendo este livro, entre eles os princípios básicos da democracia. E por causa dessa falta de compreensão os pais não agem como se soubessem e entendessem que cada pessoa tem o direito de ser quem ela é e que cada pessoa tem uma Bússola Interior. Como podem então ensinar isso a seus filhos, se eles próprios não o compreendem nem o praticam no seu dia a dia? Portanto, enquanto nós, adultos, não entendermos o mecanismo da Bússola Interior e tudo que ele acarreta, não poderemos esperar que o comportamento das crianças na escola seja diferente.

Tornar-se inclusivo acontece de modo natural quando compreendemos que cada pessoa é uma criação única e tem uma ligação direta individual com a Grande Inteligência Universal.

Felizmente para todos nós, mesmo que estejamos confusos sobre esses princípios básicos e morrendo de medo de desagradar aos outros, também sentimos em um nível mais profundo que isso não é certo, o que acontece porque todos temos uma Bússola Interior! Uma Bússola Interior que produz de fato uma sensação de mal-estar quando estamos fora de sintonia com quem realmente somos. A outra coisa a ser lembrada é que todo mundo tem um profundo anseio natural por ser livre. Isso mesmo, todos queremos ser livres! Pense um pouco a respeito disso...

Todos queremos ser livres!

Este é um bom tema sobre o qual refletir. Você já reparou que ninguém luta para ser escravo? Todos querem ser livres. Todos nós, no mundo inteiro, independentemente da idade, sexo, cor, religião ou nacionalidade, queremos ser livres. Até mesmo as crianças querem ser livres! Sim, todo mundo deseja isso! Ninguém quer que alguém interfira ou mexa na sua liberdade. Pense nisso. Ninguém quer que sua liberdade seja bloqueada ou tolhida.

Portanto, descobrimos que o desejo de sermos livres faz parte da nossa natureza. Nós nascemos assim. É como somos, é como estamos programados. A liberdade é tão importante para nós que estamos dispostos a lutar e a morrer por ela. Ninguém jamais luta para ser escravo. Então, é assim que nós somos — desde o momento em que nascemos. E somos todos assim.

Ninguém quer que outra pessoa lhe diga o que pensar, sentir, fazer ou falar. E no entanto, o que nós, seres humanos, fazemos? Estamos constantemente interferindo na liberdade uns dos outros — o dia inteiro, da manhã à noite, com todos os nossos "você deveria fazer isto" ou "você deveria fazer aquilo". É uma loucura total. E isso vai contra nossa natureza mais profunda.

No entanto, por favor, não me interprete mal. Não estou dizendo que não precisamos de diretrizes para as relações saudáveis entre as pessoas. Como eu disse antes, é nisso que consiste a democracia. Mas com exceção das regras básicas que regulam nossas interações com os outros seres humanos, a ideia de que uma pessoa possa de algum modo saber o que é melhor para outra é completamente absurda! Totalmente. Porque isso vai contra a realidade. E a realidade é, como afirmei ao longo deste livro, que ninguém pode entrar dentro da cabeça de outra pessoa e pensar e sentir por ela. Ninguém pode caminhar dentro dos sapatos de outra pessoa. E, por causa disso, ninguém além de você pode saber o que é melhor para você!

Portanto, a ideia de que eu poderia saber o que é melhor para você ou que você poderia saber o que é melhor para mim — ou que você ou eu poderíamos de algum modo saber o que é melhor para outra pessoa — é completamente despropositada. Felizmente para nós, nossa sociedade democrática baseia-se em um entendimento dessa ideia, motivo pelo qual a democracia é a melhor e mais elevada forma de sociedade humana, porque é baseada na verdade daquilo que realmente somos. A realidade de que todos queremos ser livres.

Portanto, quando compreendemos isso, também podemos entender que uma das melhores diretrizes para que possamos viver felizes com os outros seres humanos é a seguinte: liberte mentalmente as outras pessoas e *cuide da sua própria vida! Cuide da sua Bússola Interior!*

A Bússola Interior e a evolução humana

E por fim [...] quando compreendemos o mecanismo da Bússola Interior, também podemos perceber que toda a evolução e todo o progresso humanos ocorreram porque alguém foi corajoso o bastante para seguir sua Bússola Interior e percorrer novos caminhos, apesar da opinião da maioria. Chamamos as pessoas que fazem isso de visionárias e pioneiras. No entanto, elas são na verdade apenas pessoas que estão escutando e seguindo sua Bússola Interior. Elas são fortes e corajosas o bastante para dizer: "Bem, a humanidade pode estar fazendo coisas assim há milhares de anos, mas acredito que podemos fazer as coisas de uma maneira um pouco diferente. Sendo assim, acho que vou experimentar isto...". Foi assim que aconteceram as grandes descobertas, invenções e obras de arte, como Galileu dizendo que a Terra gira em volta do Sol, Bill Gates revolucionando os computadores, Bob Dylan revolucionando a música e mudando o rumo de toda uma geração ou homossexuais defendendo seus direitos humanos. Houve, e ainda há hoje em dia, um sem-número de pessoas fazendo as coisas de um modo diferente e de um jeito novo. Pessoas que estão fazendo coisas de maneiras que acabam muitas vezes se revelando bastante benéficas para o restante de nós. Felizmente, para todos nós, sempre houve ao longo da história pessoas que tinham um sentimento tão forte da sua Bússola Interior que tiveram a coragem de percorrer novos caminhos.

E é nisso que consiste a evolução humana!

Portanto, se você estiver em dúvida quanto a escutar sua Bússola Interior quando ela lhe disser para trilhar novos caminhos, lembre-se de que é nisso que consiste toda a evolução humana. Depois, procure cultivar um sentimento maior de admiração e assombro, ou a "mente do iniciante", enquanto se dedica às atividades cotidianas. E diga aos seus botões: "Eu me pergunto aonde isto vai me levar. Eu não sei, mas sinto que é uma coisa boa, de modo que vou tentar. Será emocionante ver como isto se desenrola!".

Este não seria um jeito maravilhoso de viver?

O que a Bússola Interior disse para Barbara Berger?

Um encontro que mudou minha vida

Durante a Guerra do Vietnã, quando eu tinha 20 anos, estava com meu marido, Steve, na Cidade do México, fugindo do exército dos Estados Unidos. Steve havia sido convocado e nós éramos contra a Guerra do Vietnã. Tínhamos vivido na clandestinidade durante dois anos e nunca tínhamos contado para ninguém o que estávamos fazendo ou do que estávamos fugindo. Certo dia, em 1966, quando estávamos sentados no banco de um parque no meio da Cidade do México sem saber o que fazer em seguida (tínhamos apenas 150 dólares no bolso), um homem que não conhecíamos aproximou-se de nós. Ele disse que era artista e perguntou se poderia fazer um esboço do nosso rosto, e nós respondemos que sim. Ele se sentou diante de nós na grama e começou a fazer o croqui. De repente, ele largou o bloco e nos perguntou o que nunca tínhamos contado para ninguém. E por alguma razão, eu senti uma sensação boa. Portanto, segui minha Bússola Interior e contei para esse completo desconhecido tudo a respeito da nossa situação. Eu disse a ele que estávamos fugindo dos Estados Unidos por causa da guerra, que estávamos com medo e que não sabíamos o que fazer. Imediatamente, ele disse para que não nos preocupássemos, acrescentando que achava que estávamos fazendo a coisa certa e que cuidaria de nós! Assim, sem mais nem menos. E ele fez o que disse que faria! Na verdade, ele era Ragnar Johansson, um famoso pintor sueco, e nos levou para a Suécia, mudando para sempre o rumo da minha vida!

Uma Última Palavra: Tudo e Todos Respondem ao Amor

Se você ainda está em dúvida em relação à Bússola Interior, pense no seguinte. Tudo e todos respondem ao amor. Tudo e todos respondem à gentileza. Isso não é algo que você precise aprender. Você não vai para a escola para aprender que o amor faz você se sentir bem. É simplesmente assim e você sabe disso. Não se trata de uma coisa mental ou de algo sobre o qual você precise pensar. Você sabe que o amor faz você se sentir bem. Você simplesmente sabe.

Você já notou que os bebês respondem ao amor? Eles sabem o que o amor os faz sentir desde a primeira vez que respiram. Eles não precisam aprender isso. Os bebês não precisam que sua mãe ou seu pai lhes expliquem que o amor os faz se sentir bem. Eles apenas respondem ao amor porque isso os faz se sentirem bem.

Na verdade, todo mundo sabe que o amor nos faz sentir bem. Todos sabemos disso porque é verdade. E o mesmo é válido para a gentileza. Então você pode se perguntar como você e eu sabemos que o amor nos faz sentir bem? Como?

Isso não é interessante?

Bem, nós apenas sabemos.

Não tivemos que aprender que o amor nos faz sentir bem, não é mesmo? Assim como não temos que aprender que a raiva e o medo nos fazem sentir mal. Nós apenas sabemos.

É um conhecimento inato — um mecanismo inerente, uma conscientização de sentimento intrínseca com a qual todos nascemos. Apenas sabemos o que sentimos que nos faz bem e o que não faz. E o amor e a gentileza nos fazem sentir bem. E isso é igual para todo mundo e também para os animais. Pense em como os animais respondem ao amor [...] eles não têm uma linguagem, não são mentais, mas mesmo assim sabem como o amor os faz sentir e respondem a ele. Pense no seu cachorro ou no seu gato. Até mesmo as plantas respondem ao amor, como muitos jardineiros sabem [...].

E é por isso que posso afirmar com absoluta certeza que você e todas as outras pessoas têm uma Bússola Interior; porque todos sabemos o que o amor e a gentileza nos fazem sentir.

Agradecimentos

Este livro é composto exclusivamente por meu próprio ensinamento.

Mas nenhum professor está sozinho.

Tudo o que eu ensino e a respeito do que escrevo se baseia no que aprendi, vivenciei e pratiquei, com base em uma vida inteira que passei investigando essa coisa que se chama vida. Meus ensinamentos foram profundamente influenciados e guiados pelos ensinamentos de muitos mestres e exploradores incríveis na área da consciência, inclusive:

Abraham — por intermédio de Esther e Jerry Hicks
David R. Hawkins
Byron Katie
Eckhart Tolle
Emma Curtis Hopkins
Emmet Fox
Ernest Holmes

Terapeutas como Peter Levine, Pia Mellody e os programas de Doze Passos

Manuel J. Smith

E muitos dos maiores ensinamentos do mundo, como o budismo, o Advaita (não dualismo), o Bhagavad Gita, o movimento do Novo Pensamento.

É impossível expressar em palavras minha gratidão a esses incríveis seres humanos e ensinamentos.

Além disso, este livro baseia-se nos muitos anos durante os quais realizei sessões particulares e pude ver o que funciona e o que não funciona quando se trata de ajudar as pessoas a encontrar seu verdadeiro poder interior e avançar com mais alegria pela vida.

E, por fim, mas igualmente importante, sou muito grata ao meu editor, Tim Ray, pelo seu inestimável auxílio ao longo de todo o processo de formar e distribuir as poderosas e importantes informações a respeito da Bússola Interior contidas neste livro.

GRUPO EDITORIAL PENSAMENTO

O Grupo Editorial Pensamento é formado por quatro selos:
Pensamento, Cultrix, Seoman e Jangada.

Para saber mais sobre os títulos e autores do Grupo
visite o site: www.grupopensamento.com.br

Acompanhe também nossas redes sociais e fique por dentro dos próximos lançamentos, conteúdos exclusivos, eventos, promoções e sorteios.

editoracultrix
editorajangada
editoraseoman
grupoeditorialpensamento

Em caso de dúvidas, estamos prontos para ajudar:
atendimento@grupopensamento.com.br